Gilbert K. Ch[...]

KU-456-468

Pater Brown
und die drei Werkzeuge
des Todes

Scherz

Bern – München – Wien

Ungekürzte und neu übersetzte Ausgabe
Übertragung aus dem Englischen von Ute Tanner
Diese Taschenbuchausgabe ist eine Auswahl aus den englischen
Originalwerken: »The Innocence of Father Brown«, »The Wisdom
of Father Brown«, »The Incredulity of Father Brown«, »The Secret
of Father Brown« und »The Scandal of Father Brown«
Schutzumschlag von Heinz Looser
Foto: Thomas Cugini

1. Auflage 1987, ISBN 3-502-51089-X
Copyright © 1987 an der neuen deutschen Textfassung
beim Scherz Verlag Bern und München
Gesamtherstellung: Ebner Ulm

Die drei Werkzeuge des Todes

Von Berufs wegen wie aus Überzeugung wußte Pater Brown besser als die meisten Menschen, daß jedermann im Tod Würde besitzt. Doch selbst er verspürte einen seltsamen Stich, als man ihn bei Tagesanbruch herausklopfte und ihm berichtete, Sir Aaron Armstrong sei ermordet worden. Es lag etwas Sinnwidriges und Unziemliches in einer Gewalttat gegen ein so ganz und gar unterhaltsames und beliebtes Individuum. Denn Sir Aaron Armstrong war unterhaltsam bis an die Grenze des Komischen und seine Beliebtheit nahezu legendär. Es war, als würde ihm gesagt, Sunny Jim habe sich erhängt oder Mr. Pickwick sei in Hanwell gestorben. Denn Sir Aaron war zwar Philanthrop und als solcher mit den Schattenseiten unserer Gesellschaft befaßt, aber er rühmte sich, dabei den größtmöglichen Frohsinn walten zu lassen. Seine politischen und sozialen Reden waren Sturzbäche von Anekdoten und »lebhafter Heiterkeit«, er strotzte vor Gesundheit, ethisch war er ein ausgesprochener Optimist, und das Problem Alkohol (sein Lieblingsthema) handelte er mit jener unverwüstlichen, ja penetranten Gutgelauntheit ab, die so häufig das Kennzeichen des erfolgreichen Abstinenzlers ist.

Auf den puritanischen Rednertribünen und Kanzeln kannte jeder die Geschichte seiner Bekehrung: Wie er als Junge von der schottischen Theologie an den schottischen Whisky geraten war, wie er beiden entwuchs und – so pflegte er bescheiden anzumerken – zu dem wurde, was er war. Freilich wollte es einem beim Anblick seines mächtigen weißen Bartes, seines kindlich-unschuldigen Gesichts, der blitzenden Brillengläser, die bei zahllosen Essen und Kongressen auftauchten, kaum in den Kopf, daß er je etwas so

Morbides wie ein Schnapsbruder oder ein Calvinist gewesen sein sollte. Man hatte den Eindruck, ein Menschenkind vor sich zu haben, das es mit der Heiterkeit überaus ernst nahm.

Er hatte am ländlichen Rand von Hampstead gewohnt, in einem ansehnlichen Haus, hoch, aber nicht breit, einem modernen, nüchternen Turm. Die schmalste der vier schmalen Seiten lag über einer steilen grünen Eisenbahnböschung und wurde immer wieder durch vorüberfahrende Züge erschüttert. Sir Aaron Armstrong hatte, wie er lärmend zu erklären pflegte, keine Nerven. Hatte früher der Zug häufig das Haus erschüttert, so hatte sich an diesem Vormittag das Blatt gewendet: Das Haus erschütterte den Zug.

Die Lokomotive nahm Fahrt weg und blieb genau hinter jenem Punkt stehen, wo eine Ecke des Hauses an die steile Rasenböschung stieß. Die meisten mechanischen Dinge brauchen gewöhnlich einige Zeit zum Anhalten; aber der lebende Auslöser dieses Halts hatte sich sehr schnell bewegt. Ein ganz in Schwarz gekleideter Mensch, sogar (wie man sich mit Entsetzen erinnerte) seine Handschuhe waren schwarz, erschien auf der Böschung oberhalb der Lokomotive und schwenkte die schwarzen Arme wie dunkel bespannte Windmühlenflügel. Dies allein hätte kaum auch nur einen Bummelzug zum Anhalten veranlaßt. Gleichzeitig aber stieß dieser Mensch einen Schrei aus, der, wie es später hieß, ganz und gar unnatürlich und unerhört gewesen sei. Es war einer dieser Rufe, die erschreckend deutlich sind, selbst wenn wir das, was gerufen wird, nicht verstehen können. In diesem Fall war es das Wort: »Mord!« Doch der Lokomotivführer schwört Stein und Bein, er hätte auch angehalten, wenn er nur den grauenhaft durchdringenden Klang und nicht das Wort selbst vernommen hätte.

Als der Zug stand, sah man schon bei einem flüchtigen Blick viele Anzeichen des Unglücks. Der Mann in Schwarz auf der grünen Böschung war Sir Aaron Armstrongs Diener Magnus. Der Baronet hatte in seinem Optimismus häufig über die schwarzen Handschuhe des düsteren Bediensteten gelacht, aber in diesem Augenblick war niemand geneigt, über ihn zu lachen.

Als die Neugierigen die Gleise überschritten hatten und jenseits der rußigen Hecke waren, sahen sie als erstes den Körper eines alten Mannes, der fast bis ans unterste Ende der Böschung gerollt war. Der Mann trug einen gelben Morgenrock mit grellrotem Futter. Ein Stück Strick schien sich um sein Bein gewickelt zu haben, wohl im Zuge eines Kampfes. Ein paar Blutspritzer waren zu sehen, allerdings sehr wenige. Die Haltung des Körpers war so verbogen und geknickt, daß sie bei einem lebendigen Menschen undenkbar gewesen wäre. Es war Sir Aaron Armstrong. Nach einigen Augenblicken allgemeiner Ratlosigkeit erschien ein großer, schwerer Mann mit blondem Bart: Patrick Royce, Sekretär des Toten, und einst wohlbekannt, ja berühmt in den Kreisen der Boheme. Auf unbestimmtere, aber noch überzeugendere Art spiegelte sich in ihm der Jammer des Dieners wider. Als das dritte Mitglied des Haushalts, Alice Armstrong, die Tochter des Toten, schwankend und zitternd in den Garten kam, hatte der Lokomotivführer den außerplanmäßigen Halt beendet, die Pfeife schrillte, und der Zeug keuchte von dannen, um von der nächsten Station Hilfe zu holen.

Pater Brown war auf Bitten von Patrick Royce, dem hünenhaften früheren Bohemien, so rasch herbeizitiert worden. Royce war gebürtiger Ire und einer jener oberflächlichen Katholiken, die sich nur dann ihres Glaubens zu erinnern pflegen, wenn sie einmal richtig in der Klemme stecken. Doch wäre vielleicht Royces Bitte weniger prompt entsprochen worden, wäre nicht einer der offiziell mit dem Fall befaßten Kriminalbeamten ein Freund und Bewunderer des durchaus nicht offiziellen Flambeau gewesen. Und man konnte unmöglich mit Flambeau befreundet sein, ohne zahllose Geschichten über Pater Brown zu hören. Als daher der junge Beamte (der Merton hieß) den kleinen Priester über die Felder zum Bahngelände führte, war ihr Gespräch vertraulicher, als dies unter völlig Fremden sonst üblich ist.

»Also bis jetzt«, sagte Mr. Merton offenherzig, »hat der Fall

7

für mich weder Hand noch Fuß. Es gibt keinen Verdächtigen. Magnus ist ein feierlicher alter Esel – viel zu sehr ein Esel, um ein Mörder zu sein. Royce war seit Jahren der beste Freund des Baronets, und seine Tochter hat den Alten zweifellos angebetet. Außerdem ist das alles zu albern. Wer würde auf die Idee kommen, einen so munteren alten Vogel wie Armstrong um die Ecke zu bringen? Wer könnte seine Hände mit dem Blut eines Tischredners beflecken? Da könnte sich ja gleich einer am Weihnachtsmann vergreifen.«

»Ja, es war ein fröhliches Haus, solange er lebte«, bestätigte Pater Brown. »Glauben Sie, es wird jetzt, nach seinem Tod, so fröhlich bleiben?«

Merton stutzte. Er sah seinen Begleiter aufmerksam an. »Jetzt, nach seinem Tod...« wiederholte er.

»Ja«, fuhr der Priester gelassen fort. »Er war fröhlich. Aber hat er seinen Frohsinn auf andere übertragen? Mal ganz ehrlich – wer außer ihm war fröhlich in diesem Haus?«

In Mertons Kopf öffnete sich ein Fensterchen und ließ jenes seltsam-überraschende Licht ein, in dem wir zum ersten Mal Dinge erblicken, die uns seit jeher bekannt sind. Er war oft bei den Armstrongs gewesen, wenn der Philanthrop irgendwelche Kleinigkeiten mit der Polizei zu regeln hatte. Und wenn er es sich recht überlegte, war es ein deprimierendes Haus gewesen. Die Räume waren sehr hoch und sehr kalt, die Einrichtung billig und spießig. Die elektrische Beleuchtung in den zugigen Korridoren war trüber als Mondlicht. Und das rote Gesicht und der Silberbart des Alten hatten zwar in allen Räumen gelodert wie Freudenfeuer, hatten aber keine Wärme hinterlassen. Zweifellos war diese gespenstische Ungemütlichkeit zum Teil der Vitalität und dem Überschwang des Besitzers zuzuschreiben. Er brauche weder Öfen noch Lampen, pflegte er zu sagen, er führe seine eigene Wärme mit. Aber als sich Merton jetzt die anderen Bewohner in Erinnerung rief, mußte er tatsächlich zugeben, daß sie nur wie Schatten ihres Herrn und Meisters wirkten. Der düstere Kammerdiener mit seinen unheimlichen schwarzen Handschuhen war der reinste Alptraum. Royce, der Sekretär, ein Bulle von Mann im Tweedanzug, hatte von der Erscheinung her nichts Schattenhaftes an sich. Aber der kurze, strohfarbene Bart war grau meliert wie der Tweed, und die breite Stirn furchten vorzeitige Falten. Auch er war gewiß ein netter Mensch, aber es war eine traurige, fast trostlose Nettigkeit, man konnte sich des Eindrucks nicht erwehren, einen Versager vor sich zu haben. Was nun Miss Armstrong anging, so schien es fast unglaublich, daß sie Aaron Armstrongs Tochter war, so blasse Farben und so zarte Konturen hatte sie. Sie war anmutig, zitterte aber unaufhörlich wie Espenlaub. Merton hatte sich schon überlegt, ob dieses Beben vielleicht von den ständig vorüberdonnernden Zügen herrührte.

»Sehen Sie«, sagte Pater Brown und blinzelte bescheiden. »Ich glaube nicht, daß die Armstrongsche Heiterkeit für andere Leute sonderlich erheiternd war. Sie sagen, daß niemand einen so glücklichen alten Herrn umbringen würde, aber da bin ich nicht so sicher. *Ne dos inducas in tentationem.* Wenn ich je einen Menschen umbringen würde, dann wahrscheinlich einen Optimisten«, setzte er völlig ernst hinzu.

»Warum?« fragte Merton belustigt. »Glauben Sie, die Leute haben etwas gegen Heiterkeit?«

»Die Leute haben es gern, wenn gelacht wird«, antwortete Pater Brown. »Aber ich glaube nicht, daß sie viel für ein permanentes Lächeln übrig haben. Heiterkeit ohne Humor kann sehr auf die Nerven gehen.«

Eine Weile gingen sie schweigend an der windigen, grasbewachsenen Eisenbahnböschung entlang, und als sie in den langen Schatten des hohen Armstrong-Hauses traten, sagte Pater Brown plötzlich – wie jemand, der einen beunruhigenden Gedanken eher verwirft als ihn ernsthaft äußert: »Alkohol ist natürlich an sich weder gut noch schlecht. Aber ich kann mir nicht helfen, ich glaube, daß Menschen wie Armstrong gelegentlich ein Glas Wein brauchen, um traurig zu werden.«

Mertons Vorgesetzter, ein tüchtiger, grauhaariger Mann namens Gilder, stand auf der Böschung und wartete auf den Coroner. Er unterhielt sich gerade mit Patrick Royce, dessen breite Schultern und borstiger Bart über ihm aufragten. Das war um so auffälliger, als Royce sonst immer nach vorn gebeugt zu gehen pflegte und seine wenigen schriftlichen und häuslichen Pflichten in einer schwerfällig-demütigen Art verrichtete wie ein Büffel, der einen Karren zieht.

Er hob beim Anblick des Priesters sichtlich erfreut den Kopf und zog ihn ein paar Schritte zur Seite. Indessen fragte Merton respektvoll, aber mit jugendlicher Ungeduld den älteren Beamten:

»Nun, Mr. Gilder, sind Sie der Lösung des Rätsels schon ein Stück näher gekommen?«

»Es ist kein Rätsel«, sagte Gilder und sah unter halb gesenkten Lidern versonnen den Raben nach.

»Für mich schon.«

»Die Sache ist sogar sehr einfach, mein Junge«, bemerkte der Vorgesetzte und strich sich den grauen Spitzbart. »Drei Minuten, nachdem Sie sich aufgemacht hatten, um Mr. Royces Pfarrer zu holen, ist alles herausgekommen. Sie erinnern sich an den teiggesichtigen Diener mit den schwarzen Handschuhen, der den Zug angehalten hat?«

»Den würde ich überall wiedererkennen. Irgendwie war mir der Bursche unheimlich.«

»Tja, was soll ich Ihnen sagen«, fuhr Gilder in gedehntem Ton fort, »als der Zug weg war, war auch der Mann weg. Ein recht kaltblütiger Krimineller, was? Flieht mit eben dem Zug, der nach der Polizei geschickt wird.«

»Und Sie sind sicher, daß er seinen Herrn umgebracht hat?« fragte der junge Mann.

»Ja, mein Sohn«, gab Gilder trocken zurück, »und zwar aus dem unerheblichen Grund, daß er mit zwanzigtausend Pfund in Banknoten durchgegangen ist, die sich im Schreibtisch seines Herrn befanden. Ein kleines Problem ist höchstens noch die Frage, wie er ihn umgebracht hat. Der Schädel scheint mit einem schweren Gegenstand zertrümmert worden zu sein, aber es liegt nirgends eine Waffe herum, und der Mörder hätte seine Schwierigkeiten gehabt, sie beiseite zu schaffen, es sei denn, sie war so klein, daß sie nicht aufgefallen wäre.«

»Vielleicht war die Waffe zu groß, um aufzufallen«, sagte der Priester mit einem komischen kleinen Kichern.

Als er diese kühne Bemerkung hörte, drehte Gilder sich um und fragte Pater Brown streng, was er damit meine.

»Dumm ausgedrückt, ich weiß«, gab Pater Brown entschuldigend zu. »Klingt wie ein Märchen. Aber Armstrong wurde mit einer Riesenkeule ermordet, einer großen grünen Keule, die zu groß war, um sie zu sehen, und die wir die Erde nennen. Er wurde gegen diese grüne Böschung geschleudert, auf der wir stehen.«

»Was soll das heißen?« fragte der Beamte rasch.

Pater Brown wandte sein Mondgesicht der schmalen Fassade des Hauses zu und blinzelte nach oben. Die anderen folgten seinem Blick und sahen, daß ganz oben an der sonst kahlen Rückwand ein Bodenfenster offenstand.

»Sehen Sie nicht«, erklärte er und deutete ein wenig täppisch hin, wie ein Kind, »daß er von da oben heruntergeworfen wurde?«

Gilder musterte stirnrunzelnd das Fenster. »Es wäre eine Möglichkeit«, räumte er ein. »Aber ich begreife noch immer nicht, wieso Sie Ihrer Sache so sicher sind.«

Pater Brown riß die grauen Augen weit auf. »Am Bein des Toten hängt ein Stück Strick. Sehen Sie nicht das andere Ende des Stricks, das sich an der Fensterecke verhakt hat?«

In jener Höhe sah das Ding aus wie ein Staubfaden oder ein Haar, aber der erfahrene Beamte nickte. »Sie haben völlig recht«, sagte er zu Pater Brown. »Dieser Punkt geht eindeutig an Sie.«

Er hatte kaum ausgesprochen, als ein Sonderzug mit nur einem Wagen um die Kurve zu ihrer Linken bog, anhielt und eine weitere Gruppe von Polizisten entlud, in deren Mitte das Armesündergesicht von Magnus, dem flüchtigen Diener, erschien.

»Bei Gott, sie haben ihn«, sagte Gilder und lief wie neu belebt zu der Gruppe hinüber.

»Haben Sie das Geld?« rief er dem ersten Polizisten zu.

Der Mann sah ihn mit einem sonderbaren Ausdruck an. »Nein. Zumindest nicht hier ...«

»Wer ist der Inspektor, bitte?« fragte der Mann, der sich Magnus nannte.

Als er sprach, wurde allen sofort klar, wie es dieser Stimme gelungen war, einen Zug anzuhalten. Er war ein unscheinbar aussehender Mann mit glattem schwarzem Haar, farblosem Gesicht und einem leicht asiatischen Zug um Augen und Mund. Seine Herkunft und sein Name waren schon damals zweifelhaft, als Sir Aaron ihn aus einer Stellung als Kellner in einem Londoner Restaurant befreit und – wie manche sagten – vor schändlicherem Tun »gerettet« hatte. Doch so tot sein Gesicht war, so lebendig war seine Stimme. Ob es nun daran lag, daß er sich um Genauigkeit in einer ihm fremden Sprache bemühte, oder ob er Rücksicht auf seinen Herrn genommen hatte (der an einer leichten Schwerhörigkeit litt) – jedenfalls war Magnus' Stimme von einer besonders klingenden und durchdringenden Beschaffenheit, und die ganze Gruppe fuhr leicht zusammen, als er zu sprechen begann.

»Ich habe immer gewußt, daß es so kommen würde«, sagte er laut und mit unverschämter Gelassenheit. »Mein armer alter Herr hat sich gern darüber lustig gemacht, daß ich in Schwarz ging. Aber ich habe immer gesagt, dann bin ich wenigstens für Ihre Beerdigung gerüstet.« Und er machte eine rasche Bewegung mit den beiden schwarz verhüllten Händen.

Inspektor Gilder blickte voller Grimm auf die schwarzen Hände. »Warum haben Sie dem Burschen keine Armbänder angelegt, Sergeant? Er macht mir einen gemeingefährlichen Eindruck.«

»Tja, Sir«, sagte der Sergeant wieder mit diesem undeutbaren Gesichtsausdruck, »ich weiß nicht recht, ob das geht.«

»Was soll das heißen? Haben Sie ihn nicht verhaftet?«

Ein spöttisches Lächeln spielte um den schmalen Mund des Dieners, und der Pfiff eines herannahenden Zuges wirkte wie ein seltsames Echo auf den Spott, der in diesem Lächeln lag.

»Wir haben ihn festgenommen, als er aus der Polizeistation

Highgate kam«, erklärte der Sergeant gewichtig. »Es stellte sich heraus, daß er dort gerade das Geld seines Herrn in die Obhut von Inspektor Robinson gegeben hatte.«

Gilder sah den Diener einigermaßen fassungslos an. »Warum um alles in der Welt haben Sie das getan?«

»Um es vor dem Verbrecher in Sicherheit zu bringen natürlich«, gab dieser gelassen zurück.

»Aber in Sir Aarons Familie wäre Sir Aarons Geld doch gewiß sicher genug gewesen«, wandte Gilder ein.

Der letzte Teil des Satzes ging im Donnern des Zuges unter, der rüttelnd und rasselnd vorbeifuhr. Doch durch all den infernalischen Lärm, dem jenes Unglückshaus in regelmäßigen Abständen ausgesetzt war, hörten sie die Antwort von Magnus klar und glockengleich: »Ich habe keine Veranlassung, Sir Aarons Familie zu trauen.«

Die regungslos dastehenden Männer hatten das unheimliche Gefühl, daß eine weitere Person zu ihnen getreten war, und Merton war kaum überrascht, als er aufsah und über Pater Browns Schulter hinweg das blasse Gesicht von Armstrongs Tochter erkannte. Sie war noch jung und auf eine silbrig-zarte Art schön, doch ihr Haar war von so staubigem, farblosem Braun, daß es im Spiel von Licht und Schatten aussah, als sei es schon völlig ergraut.

»Hüten Sie Ihre Zunge«, bemerkte Royce scharf. »Sie jagen Miss Armstrong ja Angst ein.«

»Das hoffe ich«, sagte der Mann mit der klaren Stimme.

Während die Frau zusammenzuckte und die anderen sich ihren eigenen Reim darauf machten, fuhr er fort: »Ich bin ziemlich gewöhnt an Miss Armstrongs Zittern. Ich sehe sie seit Jahren zittern vor Kälte, manche sagen, sie zitterte vor Angst, aber ich weiß, daß sie vor Haß zitterte und in gottlosem Zorn, besessen von Teufeln, die heute früh ihr Fest gefeiert haben. Wäre ich nicht gewesen, wäre sie inzwischen mit ihrem Liebhaber und allem Geld auf und davon. Seit mein armer alter Herr sie daran gehindert hat, diesen Schurken und Saufaus zu heiraten –«

»Halt«, sagte Gilder sehr entschieden. »Ihr Klatsch und Ihre Verdächtigungen gehen uns nichts an. Wenn Sie keine handfesten Beweise haben, ist Ihre persönliche Meinung –«

»Handfeste Beweise? Die können Sie haben«, fuhr Magnus mit seinem harten Akzent dazwischen. »Sie werden mich vorladen müssen, Herr Inspektor, und ich werde unter Eid die Wahrheit sagen. Und die Wahrheit sieht so aus: Sekunden, nachdem der alte Mann blutend aus dem Fenster geworfen wurde, lief ich in die Dachstube und fand seine Tochter ohnmächtig am Boden, einen rotgefärbten Dolch noch in der Hand. Erlauben Sie mir, auch den an die Zuständigen zu übergeben.« Er nahm aus der hinteren Rocktasche ein langes, rostfleckiges Messer mit Horngriff und überreichte es höflich dem Sergeant. Dann trat er zurück, und die Augen verschwanden fast völlig in einem breiten Chinesengrinsen.

Merton wurde bei diesem Anblick ganz blümerant, und er flüsterte Gilder zu: »Sicher werden Sie doch Miss Armstrong glauben, wenn hier ihr Wort gegen das seine steht?«

Pater Brown hob plötzlich das Gesicht, das so lächerlich frisch aussah, als habe er es gerade gewaschen. »Ja«, sagte er unschuldig, »aber steht denn Miss Armstrongs Wort gegen das seine?«

Die junge Frau stieß einen erschrockenen kleinen Schrei aus, und alle sahen sie an. Ihr Körper hatte sich versteift wie in einer Lähmung, nur das Gesicht in seinem Rahmen aus mattbraunem Haar war belebt von einer entsetzten Überraschung. Sie stand da, als habe jemand sie unvermutet mit einem Lasso eingefangen und gewürgt.

»Dieser Mann«, sagte Gilder ernst, »behauptet, daß Sie nach dem Mord bewußtlos aufgefunden wurden. Mit einem Messer in der Hand.«

»Er sagt die Wahrheit«, antwortete Alice.

In diesem Moment trat Patrick Royce mit seinem großen gebeugten Kopf in ihren Kreis und äußerte den seltsamen Satz: »Na schön, wenn ich schon mitmuß, will ich erst noch ein bißchen Spaß haben.« Seine breiten Schultern hoben sich, eine Eisenfaust schoß vor und landete in Magnus' glattem Asiatengesicht, so daß er platt wie ein Seestern auf den Rasen fiel. Zwei oder drei Polizisten legten sogleich Hand an Royce, aber den anderen war es, als sei die Welt aus den Angeln und habe sich in ein sinnloses Narrenspiel verwandelt.

»Schluß damit, Mr. Royce«, sagte Gilder energisch. »Ich muß Sie wegen Körperverletzung verhaften.«

»Nein, das werden Sie nicht«, gab der Sekretär zurück, und seine Stimme glich einem stählernen Gong. »Sie werden mich wegen Mordes verhaften.«

Gilder sah erschrocken auf den zu Boden Geschlagenen herab, aber da dieser sich bereits aufgesetzt hatte und sich ein bißchen Blut von dem ansonsten unversehrten Gesicht wischte, fragte er ziemlich kurz angebunden: »Was soll das heißen?«

»Es stimmt, was dieser Kerl behauptet«, erläuterte Royce. »Miss Armstrong ist mit einem Messer in der Hand ohnmächtig geworden. Aber sie hatte sich das Messer nicht gegriffen, um ihrem Vater etwas anzutun, sondern um ihn zu verteidigen.«

»Zu verteidigen«, wiederholte Gilder ernst. »Gegen wen?«

»Gegen mich«, gab der Sekretär zurück.

Alice sah ihn erstaunt und bestürzt an. Dann sagte sie leise: »Trotz allem bin ich froh, daß Sie so tapfer sind.«

»Kommen Sie mit nach oben«, sagte Patrick Royce. »Ich werde Ihnen die ganze verteufelte Bescherung zeigen.«

Die Dachstube des Sekretärs (eine recht kleine Zelle für einen so massiven Einsiedler) wies in der Tat alle Anzeichen eines gewalttätigen Dramas auf. In der Mitte des Raums lag ein großer Revolver. Nach links war eine offene, aber noch nicht ganz leere Whiskyflasche gerollt. Die Decke des kleinen Tischs lag zerknüllt und zertrampelt auf dem Boden, und ein Strick wie der an der Leiche war quer über das Fensterbrett geworfen. Zwei Vasen lagen zerbrochen auf dem Kaminsims, eine auf dem Teppich.

»Ich war betrunken«, sagte Royce, und das klang aus dem Mund dieses vor der Zeit gealterten Mannes rührend wie die erste Sünde eines Säuglings.

»Sie alle wissen über mich Bescheid«, fuhr er mit belegter

Stimme fort. »Jeder weiß, wie meine Geschichte begann, und so mag sie mehr oder weniger auch enden. Ich galt als ein begabter Mann und hätte durchaus auch ein glücklicher Mensch werden können. Armstrong rettete die Reste meines Geistes und meines Körpers aus den Schenken, und er war auf seine Art immer gut zu mir, der arme Kerl. Nur mochte er mir die Heirat mit Alice nicht gestatten, und es wird immer heißen, daß er damit recht hatte. Nun, Sie können Ihre eigenen Schlüsse ziehen, Einzelheiten kann ich mir wohl sparen. Das ist meine Whiskyflasche, die dort halb geleert in der Ecke liegt. Das ist mein Revolver, der leer auf dem Teppich liegt. Der Strick, den man bei dem Toten fand, stammt aus meinem Koffer, und aus meinem Fenster wurde die Leiche gestürzt. Ihre Beamten brauchen nicht tief zu graben, dieses Trauerspiel ist in dieser Welt ein durchaus nicht seltenes Unkraut. Ich liefere mich selbst an den Galgen, und bei Gott, damit lassen Sie es genug sein.«

Auf ein diskretes Zeichen hin postierten sich Polizisten neben dem kräftigen Mann, um ihn abzuführen. Aber ihre Diskretion wurde erheblich durch das seltsame Gehabe Pater Browns gestört, der auf Händen und Knien auf dem Teppich lag wie in einem etwas unwürdigen Gebet. Da ihm der äußere Eindruck, den er machte, höchst gleichgültig war, blieb er in dieser Stellung, wandte aber den anderen das runde Gesicht zu, so daß er aussah wie ein Vierbeiner mit sehr drolligem Menschenkopf.

»Nein, wissen Sie, so geht das wirklich nicht«, erklärte er freundlich. »Erst sagen Sie, wir hätten keine Waffe gefunden. Jetzt aber finden wir zu viele: Das Messer zum Erstechen, den Strick zum Erwürgen, die Pistole zum Schießen. Und dabei hat er sich bei einem Fenstersturz den Hals gebrochen. Nein, so geht das nicht. Es ist unökonomisch.« Und er schüttelte den Kopf wie ein Gaul beim Grasen.

Inspektor Gilder hatte den Mund zu einer ernsten Rede geöffnet, aber ehe er einen Ton herausbringen konnte, sprach die groteske Gestalt dort unten schon mit großer Geläufigkeit weiter.

»Und nun drei völlig unmögliche Dinge. Erstens diese

Löcher im Teppich, in dem sechs Kugeln gelandet sind. Weshalb um alles in der Welt sollte jemand auf einen Teppich schießen? Ein Betrunkener zielt auf den Kopf seines Gegners, auf das Ding, das ihn angrinst. Er bricht keinen Streit mit seinen Füßen vom Zaun oder belagert seine Hausschuhe. Dann dieser Strick ...«

Pater Brown war jetzt offenbar mit dem Teppich fertig, denn er hob die Hände und steckte sie in die Taschen, blieb aber weiter ganz unbefangen auf dem Boden hocken. »Ist eine Trunkenheit denkbar, in der ein Mann versuchen würde, einem anderen einen Strick um den Hals zu legen und ihn dann um sein Bein zu binden? Royce jedenfalls war nicht so betrunken, sonst würde er jetzt schlafen wie ein Murmeltier. Und die Sache mit der Whiskyflasche ist nun wirklich unmißverständlich. Sie wollen behaupten, ein Alkoholiker erkämpft sich die Whiskyflasche, rollt sie in eine Ecke, verschüttet die eine Hälfte und läßt die andere drin? Das ist das allerletzte, was ein Trinker tun würde.«

Er rappelte sich ungeschickt auf und sagte zu dem geständigen Mörder im Ton tiefster Zerknirschung: »Es tut mir wirklich aufrichtig leid, mein Lieber, aber Ihre Geschichte ist absoluter Blödsinn.«

Alice Armstrong wandte sich an den Priester. »Kann ich Sie einen Augenblick unter vier Augen sprechen?« fragte sie leise.

Diese Bitte trieb den redseligen Geistlichen auf den Flur hinaus, und ehe er im Nebenzimmer weitersprechen konnte, sagte die junge Frau schon mit seltsamer Bestimmtheit: »Sie sind ein kluger Mensch, und ich weiß, Sie versuchen, Patrick zu retten. Aber es ist sinnlos. Je tiefer Sie dieser schrecklichen Sache auf den Grund gehen, um so mehr wird sich gegen den Unglücklichen ergeben, den ich liebe.«

»Warum?« Brown sah sie fest an.

»Weil ich mit eigenen Augen gesehen habe, wie er das Verbrechen beging«, entgegnete sie unbewegt.

»Aha«, sagte Brown ungerührt. »Und was hat er getan?«

»Ich war im Nebenzimmer. Beide Türen waren geschlossen, aber ich hörte plötzlich eine Stimme brüllen, wie ich sie im

Leben noch nicht gehört habe: ›Hölle, Hölle, Hölle!‹ Wieder und immer wieder. Und dann erzitterten beide Türen unter dem ersten Revolverschuß. Noch dreimal knallte es, ehe ich die beiden Türen offen hatte. Das Zimmer war voller Rauch, und die Waffe rauchte in der Hand meines armen, wahnwitzigen Patrick. Ich sah ihn mit eigenen Augen den letzten mörderischen Schuß abgeben. Dann stürzte er sich auf meinen Vater, der sich voller Entsetzen ans Fensterbrett klammerte, und versuchte, ihn mit dem Strick zu erwürgen, den er ihm über den Kopf warf, der aber während des Ringens an seinem Körper hinabglitt und sich um sein Bein wickelte. Dann schleifte ihn Patrick wie ein Irrer im Zimmer herum. Ich griff mir ein Messer vom Teppich, warf mich zwischen die beiden, es gelang mir, den Strick zu zerschneiden – dann verlor ich das Bewußtsein.«

»Ich verstehe«, sagte Pater Brown mit hölzerner Höflichkeit. »Besten Dank.«

Während die junge Frau unter der Erinnerung zusammenbrach, ging der Priester mit steifen Schritten ins Nebenzimmer, wo er jetzt nur noch Gilder und Merton mit Patrick Royce vorfand, der in Handschellen auf einem Stuhl saß. Pater Brown wandte sich bescheiden an den Inspektor:

»Dürfte ich wohl in Ihrer Gegenwart ein Wort mit dem Gefangenen sprechen? Und dürfte er wohl eine Minute diese komischen Armbänder abnehmen?«

»Er ist ein kräftiger Mann«, sagte Merton leise. »Warum soll er sie abnehmen?«

»Ich habe mir gedacht«, erklärte Pater Brown demütig, »daß ich vielleicht die Ehre haben dürfte, ihm die Hand zu schütteln.«

Die beiden Beamten machten große Augen, und Pater Brown fügte hinzu: »Wollen Sie es ihnen nicht sagen, Sir?«

Der Mann auf dem Stuhl schüttelte den zottigen Kopf, und der Priester drehte sich ungeduldig um.

»Dann werde ich es tun. Das Privatleben des einzelnen ist wichtiger als öffentliches Ansehen. Ich will die Lebenden retten. Mögen die Toten ihre Toten begraben.« Er trat an das verhängnisvolle Fenster und blickte blinzelnd hinaus, während er weitersprach.

»Ich sagte vorhin, daß es in diesem Fall zu viele Waffen und nur einen Toten gibt. Ich sage Ihnen jetzt, daß es keine Waffen waren, daß sie nicht zum Töten verwendet wurden. All diese grausigen Gerätschaften, die Schlinge, das blutige Messer, die knallende Pistole, waren Instrumente einer seltsamen Barmherzigkeit. Sie sollten nicht dazu dienen, Sir Aaron zu töten, sondern ihn zu retten.«

»Ihn zu retten«, wiederholte Gilder. »Wovor?«

»Vor sich selbst. Er war von selbstmörderischen Wahnideen besessen.«

»Was?« stieß Merton ungläubig hervor. »Und die Religion der Heiterkeit –«

»...ist eine grausame Religion.« Der Priester sah aus dem Fenster. »Warum konnten sie ihn nicht ein wenig weinen lassen, wie es seine Vorfahren getan hatten? Seine Pläne erstarrten, seine Ansichten erkalteten. Hinter der fröhlichen Maske verbarg sich der leere Geist des Atheisten. Um in der Öffentlichkeit die frohsinnige Fassade beibehalten zu können, verfiel er schließlich wieder dem Whisky, den er schon lange aufgegeben hatte. Doch für einen aufrichtigen Abstinenzler hat der Alkohol besondere Schrecken. Er kann sich nämlich jene Seelenpein vorstellen, vor der er andere warnt, und sieht sie auf sich zukommen. Nur zu schnell ergriff sie auch Armstrong, und heute vormittag war er so weit, daß er seine Höllenqualen laut hinausschreien mußte. Er tat das mit einer Stimme, die die eigene Tochter nicht erkannte. Er suchte mit aller Gewalt den Tod, und mit der Gerissenheit des Wahnsinnigen hatte er um sich den Tod in mannigfaltiger Form verteilt – eine Schlinge, den Revolver seines Freundes, ein Messer. Royce kam zufällig herein und reagierte sofort. Er warf das Messer auf den Teppich hinter sich, griff sich den Revolver, und da er keine Zeit hatte, ihn zu entladen, leerte er ihn Schuß für Schuß in den Fußboden. Der Selbstmörder sah eine vierte Möglichkeit, sich den Tod zu geben, und stürzte zum Fenster. Der Retter tat das einzig Vernünftige, er rannte mit dem Strick hinterher und versuchte, ihn zu fesseln. Da kam das unglückliche Mädchen herein, mißverstand den Kampf und versuchte, ihren Vater zu befreien. Zuerst ritzte sie mit dem Messer nur die Hände des armen Royce, und daher kommt das bißchen Blut in dieser Geschichte. Sie haben natürlich bemerkt, daß Royce auf dem Gesicht des Dieners Blut, aber keine Wunde hinterlassen hat, nicht wahr? Unmittelbar bevor Miss Armstrong das Bewußtsein verlor, gelang es der Ärmsten, ihren Vater loszuschneiden, so daß er durch dieses Fenster in die Ewigkeit stürzte.«

Ein langes Schweigen trat ein, nur unterbrochen durch das Klirren der Handschellen, die Gilder seinem Gefangenen abnahm. Dann sagte er: »Sie hätten uns die Wahrheit sagen sollen, Sir. Sie und die junge Dame sind mehr wert als alle Nachrufe auf Armstrong.«

»Zum Teufel mit den Nachrufen auf Armstrong«, fuhr Royce auf. »Begreifen Sie denn nicht, daß ich es getan habe, weil sie es nicht erfahren darf?«

»Was nicht erfahren darf?« fragte Merton.

»Daß sie ihren Vater umgebracht hat, Sie Narr«, schrie Royce. »Hätte sie nicht eingegriffen, wäre er jetzt noch am Leben. Sie könnte den Verstand verlieren, wenn sie es wüßte.«

»Das glaube ich nicht«, meinte Pater Brown und griff nach seinem Hut. »Ich meine, Sie sollten es ihr sagen. Selbst die schlimmsten Fehler vergiften das Leben nicht so sehr wie Sünden. Jedenfalls könnten Sie jetzt beide glücklicher werden. Ich muß zurück zur Taubstummenschule.«

Als er auf den windumwehten Rasen hinaustrat, hielt ihn ein Bekannter aus Highgate an. »Der Coroner ist da, die Untersuchung wird gleich anfangen.«

»Ich muß zurück zur Taubstummenschule«, sagte Pater Brown. »Es tut mir leid, aber ich kann der Untersuchung nicht beiwohnen.«

Die Sternschnuppen

»Mein schönstes Verbrechen«, pflegte Flambeau zu sagen, als er in die Jahre gekommen und ungemein moralisch geworden war, »wurde durch einen sonderbaren Zufall auch mein letztes. Ich beging es zu Weihnachten. Als Künstler habe ich mich immer bemüht, mich mit meiner Tat der jeweiligen Jahreszeit oder meiner Umgebung anzupassen, wobei ich diese oder jene Terrasse, diesen oder jenen Garten für meinen Auftritt auswählte wie den Standort für eine Plastik. Landedelleute sollte man in eichengetäfelten Sälen übers Ohr hauen. Juden hingegen müßten sich unvermutet ohne einen Penny in der Tasche unter den Lichtern des Café Riche wiederfinden. Wenn ich in England einen Dekan um seine weltlichen Güter zu erleichtern wünschte (was nicht so einfach ist, wie man annehmen könnte), schrie das gewissermaßen nach dem Rahmen einer Domstadt mit grünem Rasen und grauen Türmen. Wenn ich in Frankreich Gold aus einem reichen und bösen Bauern herausgeholt hatte (was nahezu ein Ding der Unmöglichkeit ist), war es mir eine tiefe Befriedigung, seinen empörten Schädel vor dem Hintergrund einer grauen Reihe beschnittener Pappeln und jener feierlichen gallischen Ebenen zu sehen, über denen der mächtige Geist Millets schwebt.

Mein letztes Verbrechen nun war ein Weihnachtsverbrechen, ein fröhliches, behagliches englisches Mittelstandsverbrechen, ein Verbrechen, wie man es bei Charles Dickens findet. Schauplatz der Handlung war ein solides Bürgerhaus nahe Putney, ein Haus mit einer halbrunden Auffahrt und einem Stall, ein Haus mit dem Namen an der zweiflügeligen Eingangstür, ein Haus mit einer Araukarie im Garten – Sie kennen die Sorte, die ich meine. Ich glaube wirklich, daß ich den Dickens-Stil gekonnt und literarisch präzise getroffen hatte. Eigentlich ein Jammer, daß ich mich noch am gleichen Abend vom Weg der Sünde abgekehrt habe.«

Nach dieser Vorrede pflegte Flambeau die Geschichte von innen aufzurollen, und selbst aus diesem Blickwinkel war sie recht eigenartig. Von außen gesehen schien sie völlig unverständlich, doch muß der Fremde sie notgedrungen von außen angehen. Von diesem Standpunkt aus ist der Beginn des Dramas in dem Augenblick anzusetzen, da die Tür des Hauses sich zum Garten mit der Araukarie hin öffnete und ein junges Mädchen mit Brotkrumen herauskam, um an diesem Nachmittag des zweiten Weihnachtsfeiertages die Vögel zu füttern. Sie hatte ein hübsches Gesicht mit unerschrockenen braunen Augen. Über ihre Figur konnte man nur Mutmaßungen anstellen, denn sie war so dick in braunen Pelz gehüllt, daß man kaum sagen konnte, was Haar und was Pelz war. Wäre nicht das hübsche Gesichtchen gewesen, hätte man sie für einen kleinen tapsigen Bären halten können.

Der Winternachmittag war schon vom Licht der Abendröte überhaucht, ein rubinfarbenes Leuchten lag über den blumenlosen Beeten, in denen der Geist der toten Rosen zu schweben schien. An einer Seite des Hauses stand der Stall, an der anderen führte eine Art Allee oder Kreuzgang aus Lorbeerbüschen zum Garten dahinter. Nachdem die junge Dame das Brot für die Vögel ausgestreut hatte (zum vierten oder fünften Mal an diesem Tag, der Hund fraß es immer wieder weg), ging sie den Lorbeerpfad hinunter zu den schimmernden Immergrünpflanzungen, die dahinter lagen. Hier stieß sie einen – echten oder gespielten – Laut der Überraschung aus und sah zu der hohen Gartenmauer empor, auf der rittlings eine reichlich phantastische Gestalt saß.

»Bitte springen Sie nicht, Mr. Crook«, rief sie besorgt. »Es ist viel zu hoch.«

Der Angesprochene, der auf der Trennmauer wie auf einem Luftroß ritt, war ein großer, eckiger junger Mann mit dunklem Haar, das wie eine Bürste hochstand, mit intelligenten, ja vornehmen Zügen, aber fahlem, ein wenig exotisch wirkendem Teint. Das fiel um so mehr auf, als er eine herausfordernd rote Krawatte trug, offenbar das einzige Kleidungsstück, dem er einige Sorgfalt hatte angedeihen lassen. Vielleicht war es ein Symbol. Ohne von der erschrockenen Mahnung der jungen Frau Notiz zu nehmen, sprang er wie ein Grashüpfer neben ihr zu Boden, wobei er sich leicht die Beine hätte brechen können.

»Ich glaube fast, das Schicksal hat mich zum Einbrecher bestimmt«, sagte er gelassen, »und sicher wäre ich das auch geworden, hätte ich nicht zufällig in dem hübschen Haus nebenan das Licht der Welt erblickt. Im übrigen finde ich auch nichts Schlimmes dabei.«

»Wie können Sie nur so etwas sagen«, tadelte sie.

»Wenn jemand nun mal auf der falschen Seite der Mauer geboren ist, kann man ihm, so meine ich, keinen Vorwurf daraus machen, wenn er auf die richtige hinübersteigt.«

»Bei Ihnen weiß man nie, woran man ist«, klagte die junge Frau.

»Das weiß ich oft selber nicht«, entgegnete Mr. Crook. »Jetzt jedenfalls bin ich auf der richtigen Seite der Mauer.«

»Und welches ist die richtige Seite?« fragte die junge Frau lächelnd.

»Immer die, auf der Sie sind.«

Als sie zusammen durch die Lorbeerbüsche zum Vorgarten gingen, ertönte dreimal, immer näher kommend, eine Autohupe, und ein Wagen von beachtlicher Geschwindigkeit, großer Pracht und hellgrüner Farbe segelte wie ein Vogel bis zur Haustür, wo er zitternd stehenblieb.

»Schau einer an«, sagte der junge Mann mit der roten Krawatte, »hier kommt jemand, der fraglos auf der richtigen Seite geboren ist. Ich wußte nicht, daß Sie einen so modernen Weihnachtsmann engagiert haben, Miss Adams.«

»Das ist mein Pate, Sir Leopold Fischer, er kommt immer am zweiten Weihnachtsfeiertag.«

Dann, nach einer unschuldigen Pause, die unbewußt einen gewissen Mangel an Begeisterung erkennen ließ, fügte Ruby Adams hinzu:

»Er ist ein guter Mensch.«

John Crook, Journalist von Beruf, hatte von dem berühmten City-Magnaten gehört, und es war nicht seine Schuld, wenn der City-Magnat noch nichts von ihm gehört hatte, denn in gewissen Artikeln des *Clarion* oder des *New Age* war Sir Leopold nicht eben gut weggekommen. Doch er sagte nichts und beobachtete nur grimmig das Ausladen des Automobils, was eine recht langwierige Prozedur war. Ein großer, adretter Chauffeur in grüner Uniform stieg vorn aus, ein kleiner adretter Kammerdiener in Grau hinten, und mit vereinten Kräften lieferten sie Sir Leopold an der Schwelle ab und begannen ihn auszupacken wie ein sehr sorgfältig eingewickeltes Paket. Decken, mit denen man einen Bazar hätte ausstatten können, Pelze von allen Tieren des Waldes und Schals in allen Farben des Regenbogens wurden nacheinander entfernt, bis sich etwas erkennen ließ, was einer menschlichen Gestalt ähnelte: einen freundlichen, aber fremdländisch wirkenden alten Herrn mit grauem Ziegenbart und strahlendem Lächeln, der seine großen Pelzhandschuhe aneinanderrieb.

Lange vor Vollendung des Enthüllungswerks hatten sich die beiden großen Flügeltüren zur Halle geöffnet, und Oberst Adams, der Vater der bepelzten jungen Dame, war höchstpersönlich herausgekommen, um seinen prominenten Gast ins Haus zu bitten. Er war ein hochgewachsener, gebräunter und sehr schweigsamer Mann, der eine fesartige Hauskappe trug, in der er aussah wie ein englischer Sirdar oder ein ägyptischer Pascha. Mit ihm kam sein Schwager, der kürzlich aus Kanada zurückgekehrt war, ein kräftiger, recht ungestümer junger Gutsherr mit blondem Bart, der James Blount hieß. Daneben tauchte die unauffällige Gestalt des Priesters aus der nahegelegenen katholischen Kirche auf, denn die verstorbene Frau des Obersten war Katholikin gewesen, und die Kinder waren, wie in solchen Fällen üblich, in diesem Glauben aufgewachsen. Nichts an dem Priester schien bemerkenswert, nicht einmal sein Name, der Brown lautete. Doch der Oberst schätzte ihn als einen umgänglichen Menschen und lud ihn häufig zu solchen Familientreffen ein.

In der großen Halle des Hauses war sogar für Sir Leopold und die Entfernung seiner letzten Hüllen genügend Platz. Eingangsbereich und Halle waren im Verhältnis zum übrigen Haus ungewöhnlich weiträumig und bildeten gewissermaßen einen Saal mit der Eingangstür an dem einen und dem Treppenaufgang am anderen Ende. Vor dem großen Kamin in der Halle, über dem der Säbel des Obersten hing, wurde der Entkleidungsprozeß beendet, und die Gesellschaft, einschließlich des düsteren Crook, Sir Leopold Fischer vorgestellt. Doch dieser ehrwürdige Finanzmann machte sich noch immer an Teilen seiner gutgefütterten Gewandung zu schaffen und holte schließlich aus den tiefsten Tiefen seiner Gehrocktasche ein ovales schwarzes Etui hervor, in dem sich, wie er strahlend erklärte, das Weihnachtsgeschenk für seine Patentochter befand. Mit einer unbefangenen Eitelkeit, die etwas Entwaffnendes hatte, streckte er den anderen das Etui hin. Ein leichter Druck, es sprang auf – und alle standen wie geblendet. Es war, als sei ihnen eine kristallene Fontäne entgegengespritzt. In einem Nest aus orangefarbenem Samt lagen – wie drei Eier – drei weiße, feurige Diamanten, die die Luft ringsum in Brand zu setzen schienen. Fischer strahlte wohlwollend in die Runde und genoß Überraschung und Entzücken seiner Patentochter, die grimmige Bewunderung und den bärbeißigen Dank des Obersten, das Erstaunen der ganzen Gruppe.

»Ich stecke sie jetzt wieder weg, Kind«, sagte Fischer und verstaute das Etui in seinem Rockschoß. »Während der Fahrt habe ich sehr auf sie aufpassen müssen. Es sind die drei großen afrikanischen Diamanten, die man die ›Sternschnuppen‹ nennt, weil sie schon so oft gestohlen wurden. Alle großen Verbrecher sind hinter ihnen her, aber auch die kleinen Gauner, die sich auf den Straßen und in den Hotels herumtreiben, hätten sie sich bestimmt gern geschnappt. Ich mußte damit rechnen, sie auf dem Weg hierher zu verlieren. So was ist durchaus möglich.«

»Sehr verständlich«, knurrte der Mann mit der roten Krawatte. »Ich könnte den Leuten keinen Vorwurf daraus machen, wenn sie sich bedient hätten. Wenn sie um Brot bitten und nicht mal einen Stein bekommen, braucht man sich nicht zu wundern, wenn sie sich den Stein selbst nehmen.«

»So was dürfen Sie nicht sagen«, rief das Mädchen in seltsamer Erregung. »So reden Sie erst, seit Sie so ein schrecklicher Dingsbums geworden sind, Sie wissen schon, was ich meine. Wie nennt man einen Mann, der sogar den Schornsteinfeger brüderlich umarmen möchte?«

»Einen Heiligen«, sagte Pater Brown.

»Ich glaube«, meinte Sir Leopold mit herablassendem Lächeln, »Ruby meint einen Sozialisten.«

»Ein Radikaler ist kein Mann, der sich am Tag nur einen Radi leisten kann«, erklärte Crook mit einiger Ungeduld. »Und ein Konservativer ist keiner, der sich nur von Konserven ernährt. Ebensowenig, das darf ich Ihnen versichern, ist ein Sozialist ein Mensch, der sich sozial mit dem Schornsteinfeger auf eine Stufe stellen möchte. Das Anliegen der Sozialisten ist es, daß alle Schornsteine gefegt und alle Schornsteinfeger anständig dafür bezahlt werden.«

»Aber nicht, daß einem der eigene Ruß gehört«, ergänzte der Priester halblaut.

Crook sah ihn interessiert, ja, respektvoll an. »Ist es denn wünschenswert, Ruß zu besitzen?«

»Vielleicht«, entgegnete Brown nachdenklich. »Ich habe gehört, daß Gärtner einiges damit anfangen können. Und ich habe mal zu Weihnachten mit Ruß – äußerlich angewendet – sechs Kinder glücklich gemacht, als der Zauberer ausblieb.«

»Wie herrlich«, begeisterte sich Ruby. »Ich wünschte, das würden Sie uns heute zeigen.«

Mr. Blount, der ungestüme Kanadier, quittierte diesen Vorschlag mit lautem Beifall, und auch der erstaunliche Finanzmann erhob die Stimme, allerdings in erheblichem Unmut. In diesem Augenblick klopfte es. Der Priester öffnete. Wieder sah man den Garten mit den immergrünen Pflanzen, der Araukarie und allem anderen, der jetzt vor dem Hintergrund eines violetten Sonnenuntergangs in tiefem Dämmerlicht lag. Das Bild war so bunt und malerisch wie eine Theaterkulisse, daß darüber alle einen Augenblick lang völlig die unauffällige Gestalt vergaßen, die in der Tür stand. Der Mann war offenbar ein ganz gewöhnlicher Bote, er war staubbedeckt und steckte in einem abgetragenen Mantel. »Ist einer der Herren Mr. Blount?« fragte er und wies zögernd einen Brief vor. Mr. Blount zuckte zusammen und unterbrach seinen Begeisterungsausbruch. Sichtlich überrascht riß er den Brief auf und las. Sein Gesicht umwölkte sich ein wenig, dann wandte er sich, nun wieder ganz heiter, an seinen Schwager und Gastgeber.

»Tut mir wahnsinnig leid, daß ich dir lästig fallen muß«, sagte er in seiner fröhlich-kolonialen Art, »aber würde es dich sehr stören, wenn ein alter Bekannter heute abend hier vorbeikäme, um etwas Geschäftliches mit mir zu bereden? Es ist Florian, der berühmte französische Akrobat und Komiker, ich habe ihn vor Jahren drüben im Westen kennengelernt, er ist gebürtiger Franko-Kanadier und scheint irgendwas mit mir vorzuhaben, obgleich ich mir eigentlich nicht denken kann, was er von mir will.«

»Aber natürlich«, entgegnete der Oberst gleichmütig. »Deine Freunde sind auch unsere Freunde, mein Lieber. Er ist bestimmt eine Bereicherung.«

»Er wird den Clown spielen, meinst du wohl«, lachte Blount »und alle nach seiner Pfeife tanzen lassen. Aber ich finde nichts dabei, ich habe keinen vornehmen Geschmack. Mir gefällt die gute alte englische Pantomime, bei der sich immer einer auf den Zylinder setzt.«

»Aber nicht auf meinen«, erklärte Sir Leopold Fischer würdevoll.

»Nur kein Streit«, bemerkte Crook leichthin. »Es gibt schlechtere Späße, als sich auf einen Zylinder zu setzen.«

Die Abneigung, die in Fischer aufgrund von Crooks revolutionären Ansichten und der offensichtlichen Vertraulichkeit mit seiner hübschen Patentochter gegen den rot beschlipsten Jüngling erwacht war, veranlaßte ihn, in ungemein sarkastischem, belehrendem Ton zu sagen: »Fraglos sind Sie auf etwas gestoßen, was noch unwürdiger ist, als auf einem Zylinder zu sitzen. Wollen Sie uns nicht einweihen?«

»Gewiß. Wenn man zum Beispiel den Zylinder auf sich sitzen läßt«, sagte der Sozialist.

»Aber, aber«, rief der Kanadier mit lärmender Gutmütigkeit. »Wir wollen uns doch den netten Abend nicht verderben. Ich schlage vor, daß wir heute irgendwas zur Unterhaltung auf die Beine stellen. Keine schwarzen Gesichter oder zerquetschte Zylinderhüte, wenn ihr was dagegen habt – aber doch irgendwas in der Art. Was haltet ihr von einer richtigen englischen Pantomime mit Clown, Columbine und allem, was sonst noch dazugehört? Als ich mit zwölf von England weggegangen bin, habe ich vorher noch eine gesehen, und die hat einen unauslöschlichen Eindruck auf mich gemacht. Letztes Jahr komme ich zurück in die alte Heimat, und was soll ich euch sagen – die Pantomime ist ausgestorben. Jetzt gibt es nur noch rührselige Märchenstücke. Ich wünsche mir eine rotglühende Feuerzange und einen Polizisten, der verwurstet wird, und was bietet man mir statt dessen? Prinzessinnen, die bei Mondschein Moral predigen, blaue Vögel und dergleichen. Da ist Blaubart schon mehr mein Fall, am besten hat mir der immer gefallen, wie er sich in einen Hanswurst verwandelt hat.«

»Ich bin sehr dafür, Polizisten zu verwursten«, sagte John Crook. »Es ist eine bessere Definition des Sozialismus als so manche, die ich letzthin gehört habe. Aber die Vorbereitungen wären wahrscheinlich zu aufwendig.«

»Ach was«, rief Blount, der nun richtig in Schwung gekommen war. »Eine Harlekinade ließe sich am schnellsten machen, und zwar aus zwei Gründen. Erstens kann man auf Teufel komm raus improvisieren, zweitens hat man alle Dinge, die man braucht, im Haus. Tische und Handtuchhalter und Waschkörbe und solche Sachen.«

»Stimmt«, räumte Crook ein, eifrig nickend und auf und ab gehend. »Aber auf eine Polizistenuniform werde ich wohl verzichten müssen, ich habe nämlich in letzter Zeit keine Gesetzeshüter umgebracht.«

Blount runzelte einen Augenblick nachdenklich die Stirn, dann schlug er sich auf den Schenkel. »Doch, es geht. Ich habe Florians Adresse, und der kennt sämtliche Kostümverleiher Londons. Ich ruf ihn an, er soll eine Uniform mitbringen.« Und schon stürzte er zum Telefon.

»Oh, das wird lustig, Onkel.« Ruby tanzte fast vor Vergnügen. »Ich mache die Columbine, und du kannst der Hanswurst sein.«

Der Millionär verharrte in einer steifen, fast barbarischen Würde. »Ich glaube, Kind, da mußt du dir einen anderen Hanswurst suchen.«

»Den Harlekin mach' ich, wenn du willst«, sagte Oberst Adams, der sich damit zum ersten und letzten Mal zu Wort meldete, und nahm die Zigarre aus dem Mund.

»Du verdienst ein Denkmal«, rief der Kanadier, der soeben strahlend vom Telefon zurückgekommen war. »So, jetzt ist alles geregelt. Mr. Crook macht den Clown, er ist Journalist, da kennt er die bärtigsten Witze. Ich mache den Harlekin, dazu braucht man nur lange Beine und muß herumhopsen. Mein Freund Florian bringt die Uniform mit, er zieht sich unterwegs um. Wir können hier in der Halle spielen, die Zuschauer sitzen dann da drüben auf der breiten Treppe in Reihen übereinander. Die Haustür ist der Hintergrund, entweder offen oder geschlossen. Geschlossen sieht man ein englisches Interieur, offen einen Garten im Mondschein. Klappt ja wie geschmiert.« Er griff in die Tasche, in der er zufällig ein Stück Billardkreide hatte, und zog zwischen Eingangstür und Treppe einen Strich für die Rampenlichter.

Wie ein so wild improvisierter Unsinn rechtzeitig fertig werden konnte, bleibt ein Rätsel. Aber sie gingen die Sache mit jenem unbekümmerten Eifer an, den man findet, wenn Jugend im Haus ist. Und die Jugend strahlte an jenem Abend in diesem Haus, obschon sich nicht alle darüber klar waren, von welchen beiden Gesichtern und von welchen Herzen dieses Strahlen ausging. Wie gewöhnlich verstieg sich die Phantasie in immer luftigere Höhen – gerade wegen der zahmen bürgerlichen Konventionen, aus denen sie schöpfen mußte. Columbine sah reizend aus in ihrem Reifrock, der eine merkwürdige Ähnlichkeit mit dem großen Lampenschirm aus dem Salon hatte. Clown und Hanswurst puderten sich mit Mehl von der Köchin, das Rouge lieferte ein anderer dienstbarer Geist, der, wie alle wahren christlichen Wohltäter, anonym blieb. Der Harlekin, schon mit Silberpapier aus Zigarrenkisten geschmückt, konnte nur mit Mühe daran gehindert werden, den alten viktorianischen Lüster zu plündern, um sich mit funkelnden Kristallen zu behängen. Er hätte sich wahrscheinlich doch noch durchgesetzt, hätte nicht Ruby ihren alten Talmischmuck ausgegraben, den sie als Karokönigin auf einem Kostümball getragen hatte. Ihr Onkel, James Blount, geriet in seiner Aufregung fast außer Rand und Band, er gebärdete sich wie ein Schuljunge. Pater Brown setzte er unversehens einen Eselskopf aus Pappmaché auf. Der kleine Priester trug ihn geduldig, ja, er bekam sogar noch das Kunststück fertig, dabei mit den Ohren zu wackeln. Blount versuchte sogar, den Schwanz des Pappmaché-Esels an Sir Leopold Fischers Rockschöße zu heften, was ihm jedoch stirnrunzelnd verwehrt wurde. »Onkel ist zu albern«, rief Ruby Crook zu, um dessen Schultern sie feierlich einen Wurstkranz gelegt hatte. »Warum benimmt er sich so wild?«

»Der richtige Harlekin für Sie als Columbine«, sagte Crook. »Ich bin nur der Clown, der die alten Witze reißt.«

»Ich wünschte, Sie wären der Harlekin«, sagte sie und ließ den Wurstkranz baumeln.

Obgleich Pater Brown jede Einzelheit kannte, die hinter den Kulissen vorbereitet worden war und mit der Verwandlung eines Kissens in ein Pantomimenbaby selbst Beifall hatte einheimsen können, setzte er sich mit der gespannten Erwartung eines Kindes, das seine erste Vormittagsvorstellung besucht, zu den Zuschauern. Es war nur ein kleines Publikum, die Familie, ein paar Freunde und Bekannte aus dem Dorf und die Dienstboten. Sir Leopold saß ganz vorn und nahm durch seinen ausladenden Pelzkragen dem hinter ihm sitzenden kleinen Priester die Sicht, doch ist von keinem Künstlerkomitee je ermittelt worden, ob ihm dadurch viel entging. Die Pantomime war ungemein chaotisch, aber trotzdem nicht albern. Es beflügelte sie ein improvisatorischer Schwung, der vornehmlich Crook, dem Clown, zu verdanken war. Er war auch sonst ein gescheiter Mann, aber an diesem Abend zeigte er sich von einer so abenteuerlichen Allwissenheit erfüllt, einer Narrheit, die weiser ist als die Welt, wie sie einen jungen Mann überkommen mag, der für einen Moment einen ganz bestimmten Ausdruck auf einem ganz bestimmten Gesicht gesehen hat. Eigentlich hatte er ja die Rolle des Clowns übernommen, aber in Wirklichkeit war er auch fast alles andere, der Autor (sofern man von einem solchen reden konnte), der Souffleur, Bühnenbildner, Kulissenschieber und vor allem das Orchester. Mitten in der zügellosen Vorstellung stürmte er in vollem Kostüm ans Klavier und schmetterte eine ebenso verrückte wie passende volkstümliche Weise.

Höhepunkt der Vorstellung war der Augenblick, als die Flügeltür sich öffnete, den lieblichen Profi und Gast, den großen Florian, als Polizist verkleidet. Der Clown am Klavier spielte den Schutzmannschor aus den *Piraten von Penzance*, doch die Melodie ging in dem donnernden Applaus unter, denn jede Bewegung des großen Komikers war eine bewundernswerte, wenn auch zurückhaltende Darstellung eines Polizisten in seinem ganzen typischen Habitus. Der Harlekin stürzte sich auf ihn und schlug ihm auf den Helm, während der Klavierspieler anstimmte: »Mein Hut, der hat drei Ecken«. Er fuhr in vollendet gespielter Überraschung herum, und der Harlekin schlug noch einmal zu (wobei der Klavierspieler mit ein paar Takten von »Immer mal wieder« aushalf). Dann warf sich der Harlekin dem Polizisten direkt in die Arme und fiel unter lautem Applaus über ihn her. Und nun bot der Schauspieler jene Darstellung eines Toten, von der man sich noch heute in Putney erzählt. Es war kaum zu glauben, daß ein lebender Mensch so schlaff und elend daliegen kann.

Der sportliche Harlekin warf ihn hin und her wie einen Sack oder schwang ihn wie eine Keule, wobei die albernsten Lieder vom Klavier her ertönten. Als der Harlekin den komischen Constable keuchend vom Boden aufhob, spielte der Clown: »O erhebt euch, holde Träume«, als er ihn auf dem Rücken herumschleppte: »Mit dem Bündel auf der

31

Schulter wander' ich durchs weite Land«, und als der Harlekin schließlich den Polizisten mit einem sehr überzeugenden Plumps fallen ließ, schlug der Verrückte am Klavier ein rasendes Tempo an und sang dazu einen Text, der klang wie »Ich schickte meiner Liebsten einen Brief, doch unterwegs verlor ich ihn«.

Etwa auf diesem Höhepunkt geistiger Anarchie konnte Pater Brown überhaupt nichts mehr sehen, denn der vor ihm sitzende Finanzmann hatte sich zu voller Höhe aufgerichtet und suchte aufgeregt in sämtlichen Taschen herum. Dann setzte er sich, noch immer nervös herumkramend, wieder hin und stand wieder auf. Einen Augenblick schien es wahrhaftig, als wolle er über die Rampenlichter steigen, dann warf er dem Clown am Klavier einen bösen Blick zu und stürmte wortlos aus dem Zimmer.

Der Priester sah noch ein paar Minuten dem bizarren, aber nicht ungewandten Tanz des Harlekins um sein gekonnt bewußtloses Opfer zu. Mit echter, wenn auch etwas primitiver Kunstfertigkeit tanzte der Harlekin langsam rückwärts zur Tür hinaus in den Garten, über dem Mondlicht und Stille lagen. Das aus Silberpapier und Talmi zusammengestoppelte Kostüm, das im Rampenlicht zu grell gewirkt hatte, wurde immer zauberischer und silbriger, während es sich im gleißenden Mondlicht entfernte. Die Zuschauer klatschten wie besessen. Da merkte Pater Brown, wie jemand ihn am Arm ergriff und ihn flüsternd bat, ins Arbeitszimmer des Obersten zu kommen.

Er folgte dieser Aufforderung mit wachsender Besorgnis, welche die feierliche Komik der Szene im Arbeitszimmer nicht zu mildern vermochte. Da saß Oberst Adams, noch immer im Harlekinskostüm, aber die armen alten Augen blickten so traurig, daß sie ganzen Saturnalien das Lachen hätten abgewöhnen können. Sir Leopold Fischer lehnte am Kaminsims und zitterte vor wichtigtuerischer Empörung.

»Eine sehr peinliche Geschichte, Pater Brown«, sagte Adams. »Es ist nämlich so: Die Diamanten, die wir heute nachmittag alle gesehen haben, sind aus der Rocktasche meines Freundes verschwunden. Und da Sie –«

»Da ich direkt hinter ihm saß . . .«, ergänzte Pater Brown mit breitem Lächeln.

»Nichts dergleichen soll angedeutet werden«, fiel ihm Oberst Adams ins Wort. Der strenge Blick, den er dabei auf Fischer warf, legte die Vermutung nahe, daß etwa in der Art bereits angedeutet worden war. »Ich bitte Sie nur um die Unterstützung, die ich wohl von jedem Gentleman in einem solchen Fall erwarten darf.«

»Daß er nämlich seine Taschen ausleert«, sagte Pater Brown und machte sich bereitwillig ans Werk. Zum Vorschein kamen sieben Shilling und Sixpence, eine Rückfahrkarte, ein kleines silbernes Kruzifix, ein schmales Brevier und ein Schokoladenriegel.

Der Oberst sah ihn lange an, dann sagte er: »Wissen Sie, ich fände eigentlich den Inhalt Ihres Kopfes interessanter als den Inhalt Ihrer Taschen. Meine Tochter gehört zu Ihrer Gemeinde. Sie hat neuerdings –« Er unterbrach sich.

»Sie hat neuerdings«, fuhr der alte Fischer dazwischen, »ihres Vaters Haus einem halsabschneiderischen Sozialisten geöffnet, der selber zugibt, daß er einem Reicheren alles wegnehmen würde. Und das ist das Ende vom Lied. Hier haben wir den Reichen, der nun um nichts mehr reicher ist.«

»Wenn Sie wissen wollen, was in meinem Kopf steckt – das können Sie«, sagte Brown ein wenig deprimiert. »Was Sie davon halten, dürfen Sie mir hinterher sagen. Doch zunächst finde ich in dieser ungebräuchlichen Tasche dies: Wenn einer darauf aus ist, Diamanten zu stehlen, rührt er nicht die Reklametrommel für den Sozialismus. Viel eher«, fügte er bescheiden hinzu, »neigt er dazu, ihn herunterzumachen.«

Die beiden anderen sahen grimmig drein, und der Priester fuhr fort:

»Sehen Sie, im Grunde kennen wir doch hier alle Leute. Unser Sozialist würde ebensowenig einen Diamanten stehlen wie eine Pyramide. Wir sollten uns zuallererst den einen Gast ansehen, den wir nicht kennen. Und das ist der Mann, der den Polizisten gespielt hat, dieser Florian. Wo steckt er wohl im Augenblick?«

Der Hanswurst sprang auf und lief aus dem Zimmer. Es gab

eine kleine Pause; der Millionär sah auf den Priester, der Priester sah in sein Brevier. Dann kam der Hanswurst zurück und berichtete, wiederum sichtlich erregt: »Der Polizist liegt immer noch auf der Bühne. Der Vorhang ist schon sechsmal hinauf- und heruntergegangen.«

Pater Brown ließ sein Buch fallen und stand da, ein Bild geistiger Vernichtung. Dann kam ganz langsam wieder ein wenig Glanz in seine grauen Augen, und er stellte eine höchst abwegige Frage. »Verzeihen Sie, Oberst, wann ist Ihre Frau gestorben?«

»Meine Frau«, wiederholte der Oberst verblüfft; »vor einem Jahr und zwei Monaten. Ihr Bruder James kam eine Woche zu spät, er hat sie nicht mehr gesehen.«

Der kleine Priester zuckte wie ein angeschossenes Kaninchen. »Kommen Sie«, rief er in ungewöhnlicher Erregung. »Kommen Sie, wir müssen uns um diesen Polizisten kümmern.«

Sie stürzten auf die Bühne, wobei sie sich rücksichtslos an Clown und Columbine vorbeidrängten (die ganz zufrieden miteinander zu flüstern schienen), und Pater Brown beugte sich über den am Boden liegenden Komiker im Polizistenkostüm.

»Chloroform«, sagte er, als er sich wieder aufgerichtet hatte. »Es ist mir eben erst eingefallen.«

Es gab ein erschrockenes Schweigen, dann sagte der Oberst langsam: »Bitte seien Sie jetzt mal ernst und erklären Sie uns, was das alles bedeuten soll.«

Pater Brown lachte laut auf, dann nahm er sich zusammen und kämpfte nur noch gegen die gelegentlichen Gluckser an, die ihn überkamen. »Meine Herren«, stieß er hervor, »wir haben nicht viel Zeit zum Reden. Ich muß dem Verbrecher nach. Aber dieser große französische Schauspieler, der den Polizisten spielte, dieser gekonnte Leichnam, mit dem der Harlekin herumgetanzt und den er umhergeworfen hat, der war...«

Wieder versagte ihm die Stimme, und er wandte sich ab.

»Der war was?« rief Fischer ihm nach.

»Ein echter Polizist«, erklärte Pater Brown und verschwand in der Dunkelheit.

34

Am Ende des dichtbewachsenen Gartens gab es Hecken und Lauben, deren Lorbeer und anderes Immergrün sich sogar jetzt, im tiefsten Winter, in warmen, südlichen Farbtönen vor dem dunkelblauen Himmel und dem silbrigen Mond abhoben. Das freundliche Grün des sich wiegenden Lorbeers, das satte Purpur der Nacht, der Mond, leuchtend wie ein riesiger Kristall – das war ein fast unerlaubt romantisches Bild. Und zwischen den höchsten Zweigen der Bäume klettert ein seltsames Wesen herum, das nicht so sehr romantisch als völlig phantastisch aussieht. Es glitzert von Kopf bis Fuß, als sei es in zehn Millionen Monde gekleidet. Der echte Mond fängt jede Bewegung dieses Wesens auf und läßt immer wieder ein anderes Stück von ihm aufflammen. Aber es schwingt sich funkelnd und gewandt von dem niedrigen Baum bis zu dem hohen dort drüben mit dem breiten Wipfel; da hält es inne, weil unter jenem kleineren Baum ein Schatten erschienen ist und unverkennbar zu ihm hinaufgerufen hat.

»Nun, Flambeau«, sagt eine Stimme. »Sie sehen wirklich aus wie eine Sternschnuppe, aber daraus wird am Ende immer ein fallender Stern.«

Das silbern glitzernde Wesen beugt sich im Lorbeer vor, und da es ohnehin leicht entkommen kann, hört es der kleinen Gestalt unten zu.

»Sie haben niemals Besseres geleistet, Flambeau. Es war gescheit von Ihnen, nur eine Woche nach Mrs. Adams' Tod, da niemand in der Stimmung war, Fragen zu stellen, aus Kanada anzureisen (mit einem Pariser Billett vermutlich). Noch gescheiter war, daß Sie den Sternschnuppen auf die Spur gekommen sind und Fischers Besuchstag vorgemerkt haben. Aber die Fortsetzung hätte kein lediglich gescheiter Mann zuwege gebracht, das war das Werk eines Genies. Der eigentliche Diebstahl war für Sie vermutlich ein Kinderspiel. Sie kennen dafür hundert Tricks. Sie hätten es nicht nötig gehabt, sich der Steine bei dem Versuch zu bemächtigen, Fischer den Schwanz eines Pappmaché-Esels an die Rockschöße zu heften. Aber mit allem anderen haben Sie sich selbst übertroffen.«

Das silbrige Wesen zwischen den grünen Blättern verharrt wie hypnotisiert, obschon der Fluchtweg unverstellt vor ihm liegt. Es sieht zu dem Mann hinunter.

»O ja«, fährt der fort. »Ich weiß Bescheid. Ich weiß, daß Sie nicht nur die Pantomime durchgesetzt, sondern sie zu einem doppelten Zweck benutzt haben. Sie wollten die Steine unauffällig an sich bringen. Von einem Komplizen bekamen Sie Nachricht, daß Sie bereits verdächtigt wurden und daß noch heute abend ein tüchtiger Polizeibeamter kommen würde, um Sie zu verhaften. Ein gewöhnlicher Dieb hätte die Warnung dankbar entgegengenommen und die Flucht ergriffen. Aber Sie sind ein Künstler. Sie hatten bereits die gute Idee, die Juwelen zwischen dem glitzernden Talmischmuck zu verstecken. Nun begriffen Sie, daß zu dem Harlekinskostüm ein Polizist durchaus paßte. Der brave Beamte machte sich vom Polizeirevier in Putney aus auf den Weg und tappte in die erstaunlichste Falle, die je aufgestellt worden ist. Als die Haustür aufging, betrat er geradewegs die Bühne, auf der eine Weihnachtspantomime ablief und wo er straflos von dem tanzenden Harlekin herumgestoßen, geschlagen und betäubt werden konnte, schallend belacht von den Honoratioren des Städtchens. Ja, das dürfte wirklich Ihre beste Leistung gewesen sein. Und jetzt könnten Sie mir eigentlich die Diamanten zurückgeben.«

Der grüne Zweig, auf dem sich der Glitzernde wiegte, raschelte wie verblüfft, doch die Stimme fuhr fort: »Ich möchte, daß Sie die Steine zurückgeben, Flambeau, und daß Sie dieses Leben aufgeben. Sie besitzen noch Jugend, Ehre und Humor, aber bilden Sie sich nicht ein, daß Ihnen das in diesem Beruf bleibt. Der Mensch mag sich auf einer gewissen Stufe des Guten halten können, aber noch kein Mensch hat es fertiggebracht, auf einer Stufe des Bösen zu verharren. Da führt der Weg nur bergab. Der Gütige trinkt und wird grausam, der Ehrliche mordet und leugnet es ab. Ich habe manchen gekannt, der wie Sie als edler Räuber angefangen hat, der sich munter nur bei den Reichen bediente, und der im Morast endete. Maurice Blum begann als Anarchist aus Prinzip, als Vater der Armen, er endete als schmieriger Spion und Spitzel, den beide Seiten benutzten und verachteten. Harry Burke gründete seine Bewegung zur Abschaffung des Geldes aus voller Überzeugung, jetzt bettelt er bei seiner halb verhungerten Schwester um Schnaps. Lord Amber geriet aus einem gewissen Gefühl der Ritterlichkeit in schlechte Gesellschaft, jetzt zahlt er den gemeinsten Geiern Londons Schweigegeld. Captain Barillon war der große Gentleman-Verbrecher vor Ihrer Zeit, er starb im Irrenhaus, schreiend in Angst vor den Spitzeln und Hehlern, die ihn verraten und zu Tode gehetzt hatten. Ich weiß, in den Wäldern hinter Ihnen scheint die Freiheit zu locken, Flambeau, ich weiß, daß sie blitzartig darin verschwinden könnten wie ein Affe. Aber eines Tages werden Sie ein alter, grauer Affe sein, Flambeau. Sie werden in Ihrem freien Forst sitzen, mit frierendem Herzen, dem Tod nahe, und die Wipfel werden sehr kahl sein.«

Nichts rührte sich – es war, als halte der kleine Mann da unten den anderen an einer langen, unsichtbaren Leine. Er fuhr fort:

»Der Weg bergab hat für Sie schon begonnen. Sie haben sich immer gerühmt, nichts Gemeines zu tun, aber das, was Sie heute getan haben, ist eine Gemeinheit. Sie bringen einen rechtschaffenen jungen Mann, der es mit seiner Umwelt schon schwer genug hat, in einen schlimmen Verdacht, Sie trennen ihn von der Frau, die er liebt und die ihn liebt. Und Sie werden noch gemeiner handeln, ehe Sie sterben.«

Drei funkelnde Diamanten fielen vom Baum herunter ins Gras. Der kleine Mann bückte sich, um sie aufzuheben, und als er wieder aufsah, war aus dem grünen Gitterwerk des Baumes der silberne Vogel verschwunden.

Die Rückgabe der kostbaren Steine (die ausgerechnet Pater Brown zufällig gefunden hatte) ließ den Abend in jubelndem Triumph enden. Und der äußerst gnädig gestimmte Sir Leopold versicherte dem Priester sogar, er selbst habe zwar eine sehr aufgeschlossene Einstellung dem Leben gegenüber, doch könne er auch jene achten, deren Glauben von ihnen verlangte, ihre Tage in Abgeschiedenheit und Weltfremdheit zu verbringen.

Der Unsichtbare

In dem kühlen blauen Dämmerlicht zweier steiler Straßen in Camden Town glühte die Konditorei an der Ecke wie das Ende einer Zigarre. Oder vielleicht eher wie der Rest eines Feuerwerks, denn das vielfarbig zusammengesetzte Licht brach sich in zahlreichen Spiegeln und auf vielen vergoldeten, lustig-bunten Kuchen und anderen süßen Sachen. Viele Gassenjungen drückten an diesem leuchtenden Fenster die Nasen platt, denn die Schokolade war in jenes metallische Rot und Gold und Grün gewickelt, das fast noch schöner ist als die Schokolade selbst, und die hohe weiße Hochzeitstorte im Fenster war unerreichbar und sättigend zugleich wie ein Nordpol, den man essen kann. Daß derlei regenbogenfarbige Verlockungen die Jugend des Viertels bis zum Alter von zehn oder zwölf Jahren unwiderstehlich anzog, war verständlich. Aber auch für die reifere Jugend war die Ecke attraktiv; gerade jetzt sah ein junger Mann, bestimmt an die vierundzwanzig, wie gebannt in eben dieses Schaufenster. Auch für ihn besaß das Geschäft einen magischen Glanz, aber es waren wohl nicht allein die Schokoladengenüsse, die ihn anzogen, obschon er auch die durchaus nicht verachtete. Der junge Mann war hochgewachsen und kräftig, er hatte rotes Haar und ein entschlossenes Gesicht, aber ein gelassenes Wesen. Unter dem Arm trug er eine flache, graue Mappe mit Federzeichnungen, die er mit mehr oder weniger Erfolg an Verlage verkaufte, seit ihn sein Onkel, ein Admiral, als »Sozialisten« enterbt hatte – wegen eines Vortrags, den er *gegen* diese Wirtschaftstheorie gehalten hatte. Der junge Mann hieß John Turnbull Angus.

Schließlich trat er ein, ging durch den Verkaufsraum in das Gastzimmer, wobei er vor der jungen Dame, die vorn bediente, stumm den Hut zog. Sie war ein brünettes, flinkes Mädchen, schwarz gekleidet, mit frischen Gesichtsfarben und lebhaften dunklen Augen. Nach einer angemessenen Frist folgte sie ihm ins Hinterzimmer, um seine Bestellung entgegenzunehmen.

Diese Bestellung war offenbar schon eingespielt. »Ich möchte gern«, sagte er sehr deutlich, »ein Rosinenbrötchen für einen halben Penny und eine kleine Tasse schwarzen Kaffee.« Und ehe die junge Frau sich abwenden konnte, fügte er hinzu: »Außerdem möchte ich Sie gern heiraten.«

Der Bedienung gab es einen Ruck. »Diese Witze verbitte ich mir.«

Der rothaarige junge Mann sah mit unerwartetem Ernst in den grauen Augen zu ihr auf.

»Es ist mir ernst. So ernst wie mit dem Rosinenbrötchen für einen halben Penny. Es ist kostspielig wie das Brötchen, man zahlt dafür. Es ist unverdaulich wie das Brötchen. Es tut weh.«

Das dunkelhaarige Fräulein hatte die dunklen Augen nicht von ihm gelassen, sie schien ihn mit fast tragischer Genauigkeit zu mustern. Als sie damit fertig war, lag der Schatten eines Lächelns um ihre Lippen, und sie setzte sich.

»Finden Sie nicht«, bemerkte Angus gedankenverloren, »daß es eigentlich grausam ist, diese Rosinenbrötchen für einen halben Penny zu verspeisen? Sie könnten noch wachsen und zu Pennybrötchen werden. Wenn wir erst verheiratet sind, gebe ich diesen rohen Sport auf.«

Die brünette junge Dame stand auf und ging zum Fenster, offensichtlich von starken, aber nicht unfreundlichen Gefühlen bewegt. Als sie sich endlich entschlossen wieder umwandte, sah sie einigermaßen verblüfft, daß der junge Mann etliche Gegenstände aus dem Schaufenster auf dem Tisch arrangierte: Eine Pyramide aus buntem Konfekt, mehrere Teller mit belegten Broten und die beiden geheimnisvollen Karaffen mit Portwein und Sherry, wie man sie nur in solchen englischen Konditoreien findet. In die Mitte dieses eindrucksvollen Aufbaus hatte er behutsam die hohe Hochzeitstorte aus weißem Zuckerguß gesetzt. Das Prunkstück des Fensters.

»Was, um Himmels willen, tun Sie da?« fragte sie.

»Meine Pflicht, liebe Laura –« begann er.

»Jetzt hören Sie endlich auf mit diesem Gerede«, fuhr sie ihn an. »Was soll das bedeuten?«

»Ein Hochzeitsessen, Miss Hope.«

»Und das da?« fragte sie ungeduldig und deutete auf das Zuckergußgebirge.

»Der Hochzeitskuchen, Mrs. Angus.«

Die junge Frau ging auf den bezeichneten Gegenstand zu, nahm ihn geräuschvoll hoch und setzte ihn wieder ins Schaufenster. Dann kam sie zurück, stützte die zierlichen Ellbogen auf den Tisch und betrachtete den jungen Mann nicht unfreundlich, aber ein wenig gereizt.

»Sie lassen mir keine Zeit zum Nachdenken«, sagte sie.

»Ich bin ja kein Narr. Das ist eben meine Art von christlicher Demut.«

Sie sah ihn noch immer an, aber hinter ihrem Lächeln stand jetzt deutlicher Ernst.

»Mr. Angus«, sagte sie fest, »ehe Sie diese Komödie auch nur eine Minute weiterspielen, muß ich Ihnen – so kurz wie eben möglich – etwas über mich erzählen.«

»Sehr erfreut«, erwiderte Angus würdevoll, »dann könnten Sie mir eigentlich auch gleich etwas über mich erzählen.«

»Jetzt seien Sie still, und hören Sie zu. Es ist nichts, dessen ich mich schämen müßte, es ist auch nichts, was mir besonders leid tut. Aber was würden Sie sagen, wenn es etwas gäbe, was mich nichts angeht und was mich doch verfolgt wie ein Alptraum?«

»In diesem Falle«, sagte der junge Mann mit unbewegter Miene, »würde ich vorschlagen, daß Sie die Torte zurückholen.«

»Zuerst hören Sie sich gefälligst meine Geschichte an«, beharrte Laura. »Zunächst müssen Sie wissen, daß meinem Vater das Wirtshaus ›Zum Roten Fisch‹ in Ludbury gehörte und daß ich im Schankraum bedient habe.«

»Ich habe mich schon oft gefragt«, sagte Angus, »warum diese Konditorei so was Christliches hat.«

»Ludbury ist ein verschlafenes, grünes kleines Nest in Ostengland«, fuhr die junge Frau fort, »und die einzigen besseren Gäste, die je in den ›Roten Fisch‹ kamen, waren Handlungsreisende. Im übrigen verkehrten dort die gräßlichsten Leute. Sie kennen solche Leute nicht, deshalb kann ich Ihnen auch nur schwer einen Begriff von ihnen geben. Kleine schäbige Drückeberger waren das, die gerade genug zum Leben und nichts weiter zu tun hatten, als in Wirtshäusern herumzulungern und Wetten abzuschließen, Leute in schlechten Anzügen, die gerade noch eine Spur zu gut für sie sind. Aber nicht mal diese verkommenen jungen Burschen waren oft bei uns zu sehen; gewöhnlich kamen nur zwei, und mein Gott *wie* gewöhnlich die waren! Sie hatten beide ein eigenes kleines Einkommen, waren beide unheimlich faul und übertrieben aufgeputzt. Trotzdem taten sie mir ein bißchen leid, denn ich glaube wohl, sie verirrten sich in unseren leeren Schankraum nur deshalb, weil beide einen Körperfehler hatten und deshalb von unseren Bauernlümmeln ausgelacht wurden. Sie waren nicht direkt verunstaltet, es war eher eine körperliche Eigenart. Der eine war auffallend klein, fast ein Zwerg, höchstens so groß wie ein Jockey. Aber sonst sah er überhaupt nicht aus wie ein Jockey, er hatte einen runden schwarzen Kopf, einen gepflegten schwarzen Bart und blanke Vogelaugen. Er klimperte mit dem Geld in der Tasche, spielte mit einer dicken goldenen Uhrkette und kehrte immer ein bißchen zu sehr den Gentleman heraus, als daß man es ihm abgenommen hätte. Dumm war er nicht, nur eben ein Tagedieb. Er verstand sich auf alle möglichen brotlosen Künste, er konnte ein bißchen aus dem Stand zaubern, er konnte fünfzehn Streichhölzer aneinander anzünden, so daß es ein wahres Feuerwerk gab, er konnte aus einer Banane oder dergleichen eine Tanzpuppe schnitzen. Er hieß Isidore Smythe, und ich sehe ihn noch vor mir mit seinem kleinen dunklen Gesicht, wie er an den Tresen kam und aus fünf Zigarren ein hüpfendes Känguruh machte.

Der andere Bursche war schweigsamer und gewöhnlicher, aber irgendwie war er mir unheimlicher als der arme kleine Smythe. Er war sehr groß und schlank, hatte helles Haar und eine scharf gebogene Nase. Auf eine etwas gespenstische Art hätte man ihn fast hübsch nennen können, aber er schielte so grauenhaft, wie ich es noch nie zuvor gesehen hatte. Wenn er einen gerade ansah, wußte man selbst nicht mehr, wo man war, geschweige denn, wo er hinschaute. Ich denke mir, daß diese Entstellung den Ärmsten ein wenig verbittert hat, denn während Smythe jederzeit bereit war, seine Kunststükke vorzuführen, hockte James Welkin (so hieß das Schielauge) nur immer in unserem Schankraum und ließ sich vollaufen, oder er machte lange einsame Spaziergänge durch die flache, graue Landschaft. Trotzdem glaube ich, daß es auch Smythe etwas peinlich war, so kurz geraten zu sein, obschon er es geschickter überspielte. Und so geriet ich ziemlich aus der Fassung, als sie mir beide in ein und derselben Woche einen Heiratsantrag machten.

Ich habe mir hinterher oft gesagt, daß ich mich töricht verhalten habe. Aber schließlich waren diese beiden komischen Käuze ja in gewisser Weise auch Freunde von mir, und ich wollte vermeiden, daß sie den wahren Grund für meine Ablehnung – ihre atemberaubende Häßlichkeit – errieten. Also erzählte ich ihnen, ich würde nie einen Mann heiraten, der es nicht aus eigener Kraft zu etwas gebracht hätte. Ich sei grundsätzlich dagegen, von ererbtem Geld zu leben, wie das bei ihnen beiden der Fall sei. Zwei Tage nach dieser gutgemeinten Erklärung fing das ganze Unglück an. Ich hörte, sie seien beide in die Welt hinausgezogen, um ihr Glück zu machen. Wie in einem dieser dummen Märchen.

Seither habe ich beide nicht mehr wiedergesehen. Aber von dem kleinen Smythe habe ich zwei Briefe bekommen, und die waren ziemlich aufregend.«

»Von dem anderen haben Sie nie etwas gehört?« fragte Angus.

Die junge Frau zögerte einen Augenblick. »Nein, der hat nie geschrieben. In seinem ersten Brief berichtete Smythe, er sei mit Welkin zusammen in Richtung London aufgebrochen, aber Welkin sei so gut zu Fuß gewesen, daß er, Smythe, nach einer Weile nicht mehr mitgekommen sei und eine Rast am Straßenrand eingelegt habe. Da hat ihn dann zufällig ein Wanderzirkus aufgegabelt, und weil er nicht nur fast ein Zwerg, sondern auch ein geschickter kleiner Bursche ist, kam er in der Branche gut voran. Das war sein erster Brief. Sein zweiter war eine richtige Bombe, er kam erst letzte Woche.«

Angus leerte seine Tasse und betrachtete sie mit mildem, geduldigem Blick. Sie lächelte ein wenig und fuhr fort: »Bestimmt haben Sie auch die Plakate gesehen, die überall ›Smythes Stumme Diener‹ anpreisen. Sonst sind Sie mit Sicherheit der einzige, der mit diesem Namen nichts anfangen kann. Viel verstehe ich ja auch nicht davon, aber es ist so eine Art Uhrwerk, das einem die Hausarbeit abnehmen soll. Sie wissen doch: ›Knopfdruck genügt – ein Butler, der nie trinkt.‹ – ›Hand an den Griff – zehn Hausmädchen, die nie flirten.‹ Das müssen Sie doch schon mal irgendwo gelesen haben. Nun mag sich das mit den Maschinen verhalten, wie es will, jedenfalls bringen sie haufenweise Geld, und zwar keinem anderen als diesem kleinen Troll, den ich aus Ludbury kenne. Irgendwie freut es mich schon, daß der arme Knirps auf die Füße gefallen ist, aber schlicht heraus gesagt, habe ich furchtbare Angst, er könnte jeden Augenblick hier auftauchen und mir verkünden, daß er es aus eigener Kraft zu etwas gebracht hat – und das hat er ja wirklich!«

»Und der andere?« wiederholte Angus gelassen, aber unbeirrt.

Laura Hope sprang unvermittelt auf. »Ich glaube, Sie sind ein Hellseher. Ja, Sie haben völlig recht. Ich habe von dem Mann keine Zeile bekommen, und ich habe keinen Schimmer, was aus ihm geworden ist oder wo er steckt. Aber vor ihm habe ich richtige Angst. Er ist immer in meiner Nähe. Er treibt mich schier zum Wahnsinn, ja, ich glaube, er hat mich schon zum Wahnsinn getrieben. Denn ich fühle, er ist da, wenn er unmöglich da sein kann, ich höre seine Stimme, wo ich sie unmöglich hören kann.«

»Und wenn es der Gottseibeiuns selber wäre«, sagte der

junge Mann vergnügt, »jetzt kann er Ihnen nichts mehr anhaben, denn jetzt haben Sie es jemandem erzählt. Wahnsinnig wird man nur, wenn man allein ist, mein Kind. Aber wann glauben Sie denn, unseren schielenden Freund gespürt und gehört zu haben?«

»Ich habe James Welkin so deutlich lachen hören, wie ich Sie sprechen höre«, sagte die junge Frau ernst. »Es war niemand da, denn ich stand vor dem Geschäft an der Ecke und konnte beide Straßen einsehen. Ich hatte sein Lachen ganz vergessen, obwohl das ebenso auffallend war wie sein Schielen. Fast ein Jahr lang hatte ich überhaupt nicht mehr an ihn gedacht. Aber es ist die reine Wahrheit, daß nur Sekunden später der erste Brief seines Rivalen eintraf.«

»Hat das Gespenst vielleicht auch mal gesprochen oder gequietscht oder dergleichen?« fragte Angus interessiert.

Laura überlief ein Frösteln. Dann sagte sie ruhig: »Ja. Als ich den zweiten Brief von Isidore Smythe gelesen hatte, in dem er mir von seinem Erfolg erzählte, hörte ich Welkin sagen: ›Und er bekommt dich doch nicht.‹ Es war ganz deutlich, als sei er hier im Raum. Es ist furchtbar. Ich muß wohl doch übergeschnappt sein.«

»Wenn Sie wirklich übergeschnappt wären«, sagte der junge Mann, »würden Sie sich für normal halten. Aber irgendwie kommt mir die Geschichte von diesem unsichtbaren Gentleman auch ein bißchen eigenartig vor. Zwei Köpfe sind besser als einer – ich erspare Ihnen Anspielungen auf andere Sprichwörter –, und wenn Sie mir, einem seriösen, praktisch denkenden Mann, erlauben würden, die Hochzeitstorte wieder aus dem Schaufenster zu holen –«

In diesem Moment hörte man von der Straße her ein durchdringendes Quietschen, ein kleines Automobil schoß auf die Ladentür zu und hielt dort an. Sogleich stürmte ein kleiner Mann mit spiegelndem Zylinderhut in den Verkaufsraum. Angus, der bisher aus Gründen geistiger Hygiene fröhliche Gelassenheit gezeigt hatte, verriet nun die Anspannung seiner Seele, indem er rasch aus dem Hinterzimmer gelaufen kam und dem Neuankömmling entgegentrat. Ein Blick genügte, um die wilden Vermutungen des Verliebten zu bestätigen. Diese geschniegelte, aber zwergenhafte Gestalt mit frech nach vorn stehendem schwarzen Spitzbart, den klugen, ruhelosen Augen, den gepflegten, aber sehr nervösen Fingern – das konnte kein anderer sein als der ihm soeben Geschilderte, Isidore Smythe, der Puppen aus Bananenschalen und Feuerwerke aus Streichhölzern machte und Millionen mit abstinenten Butlern und nichtflirtenden Hausmädchen aus Blech. Einen Augenblick sahen sich die beiden Männer, die instinktiv den Anspruch des anderen erkannt hatten, mit jener seltsam kalten Großmut an, welche die Seele der männlichen Eifersucht ist.

Doch Mr. Smythe sprach den eigentlichen Grund ihrer Rivalität nicht an, sondern fragte nur erregt:

»Hat Miss Hope das Ding am Fenster gesehen?«

»Am Fenster?« Angus machte große Augen.

»Ich habe keine Zeit für lange Erklärungen«, sagte der kleine Millionär knapp. »Hier leistet sich jemand einen üblen Scherz, der untersucht werden muß.«

Er deutete mit seinem spiegelblanken Spazierstock auf das Schaufenster, das durch die Hochzeitsvorbereitungen des Mr. Angus etwas kahl geworden war, und besagter Mr. Angus sah zu seinem nicht geringen Erstaunen, daß auf der Scheibe ein langer Papierstreifen klebte, der bestimmt noch nicht dagewesen war, als er vorhin hinausgeschaut hatte. Er folgte dem energischen Smythe auf die Straße. Ein etwa eineinhalb Meter langer weißer Randstreifen von Briefmarkenbogen war sorgfältig auf die Scheibe geklebt, und darauf stand in krakeliger Druckschrift: »Wenn Du Smythe heiratest, wird er sterben.«

»Laura«, sagte Angus und steckte den roten Schopf in den Laden, »Sie sind nicht übergeschnappt.«

»Es ist die Schrift dieses Welkin«, sagte Smythe schroff. »Ich habe ihn seit Jahren nicht mehr gesehen, aber ständig belästigt er mich. Fünfmal in den letzten vierzehn Tagen hat er Drohbriefe in meiner Wohnung hinterlassen, aber ich habe noch nicht einmal herausbekommen, wer sie abgegeben hat, geschweige denn, ob es Welkin selber ist. Der Portier schwört Stein und Bein, daß er keine verdächtigen

Gestalten gesehen habe, und hier klebt dieser Welkin eine Art Tapete an ein öffentliches Schaufenster, während die Leute in dem Laden –«

»Genau«, bekräftigte Angus bescheiden, »während die Leute in dem Laden ihren Tee tranken. Ich versichere Ihnen, Sir, daß ich den gesunden Menschenverstand bewundere, mit dem Sie die Sache angehen. Über andere Dinge können wir später sprechen. Der Bursche ist sicher noch nicht weit, denn ich kann beschwören, daß noch kein Papier am Schaufenster klebte, als ich vor zehn oder fünfzehn Minuten zuletzt dort war. Andererseits ist er wohl schon zu weit weg, als daß wir ihn verfolgen könnten, wir wissen ja nicht einmal die Richtung. Wenn ich Ihnen raten darf, Mr. Smythe, übergeben Sie den Fall unverzüglich einem Fachmann, und zwar lieber einem Privatdetektiv als der Kriminalpolizei. Ich kenne da einen sehr gescheiten Burschen, der fünf Autominuten von hier sein Büro hat. Flambeau heißt er. Er hat wohl eine etwas stürmische Jugend hinter sich, aber jetzt ist er ein ehrlicher Mann geworden, und sein Verstand ist Geld wert. Er wohnt in Lucknow Mansions, Hamstead.«

»So ein Zufall.« Der Kleine zog die dunklen Brauen hoch. »Ich wohne dort um die Ecke, Himalaya Mansions. Wollen Sie nicht mitkommen? Ich suche in meiner Wohnung die komischen Welkinbriefe heraus, und Sie holen inzwischen Ihren Freund, den Detektiv.«

»Sehr liebenswürdig«, sagte Angus höflich. »Na, dann los. Je schneller, desto besser.«

Aus dem gleichen Gefühl ritterlicher Fairneß verabschiedeten sich beide sehr förmlich von der Dame und sprangen dann in den schnellen kleinen Wagen. Als Smythe zum Schalthebel griff und sie um die Ecke bogen, sah Angus belustigt ein riesiges Plakat mit der Aufschrift »Smythes Stumme Diener« vor sich. Es war das Bild einer riesigen Blechpuppe ohne Kopf. Der Topf, den sie in der Hand hielt, trug die Worte »Eine Köchin, die nie murrt«.

»Die setze ich in meiner Wohnung auch ein«, sagte der kleine Schwarzbart lachend. »Teils als Werbung, teils wirklich aus Bequemlichkeit. Ehrenwort, meine großen Automatenpuppen bringen Ihnen Kohlen, Rotwein oder den Fahrplan schneller als jeder lebendige Bedienstete, den ich je erlebt habe. Man muß nur wissen, auf welchen Knopf man zu drücken hat. Aber ganz unter uns – solche Dinger haben auch ihre Nachteile.«

»Ach ja? Gibt es etwas, was sie nicht können?« fragte Angus.

»Ja. Sie können mir nicht sagen, wer die Drohbriefe bei mir abgegeben hat.«

Der Wagen von Smythe war klein und flink wie er. Tatsächlich war das Fahrzeug, wie die dienstbaren Geister, seine eigene Konstruktion. Wenn er ein Marktschreier war, dann jedenfalls einer, der an seine Ware glaubte. Das Gefühl von etwas Winzigem, Dahinfliegendem verstärkte sich, als sie so in dem ersterbenden Abendlicht die langen, weißen Straßenbiegungen entlangrasten. Bald wurden die weißen Kurven schärfer, fast schwindelerregend eng, sie bewegten sich in »aufsteigenden Spiralen«, wie es in den modernen Religionen heißt. Denn nun waren sie auf dem höchsten Punkt jenes Teils von London, der fast ebenso steil abfällt wie Edinburgh, allerdings vielleicht nicht ganz so pittoresk ist. Eine Terrasse erhob sich über der anderen, und der Wohnblock, dem sie zustrebten, stieg, von der Abendsonne vergoldet, zu nahezu ägyptischer Höhe an. Dann, als sie um die Ecke bogen und in das Häuserhalbrund kamen, das sich Himalaya Mansions nennt, änderte sich das Bild so jäh, als habe man ein Fenster aufgestoßen, denn dieses Wohngebirge thront über London wie über einem grünen Schiefermeer. Die mit Buschwerk bestandene Fläche auf der anderen Seite des Kieshalbrunds glich eher einer hohen Hecke oder einem Damm als einem Garten, und etwas tiefer zog sich ein künstlicher Wasserlauf hin, eine Art Kanal, sozusagen der Burggraben dieser versteckten Festung. Als der Wagen über den Platz jagte, kam er an dem Stand eines Maroniverkäufers vorbei, am anderen Ende der Biegung konnte Angus vage die blaue Uniform eines Polizisten erkennen, der langsam auf und ab ging. Das waren die einzigen menschlichen Wesen in dieser hochgebauten Vorstadteinsamkeit, aber er hatte das unvernünftige Gefühl, als seien sie Ausdruck der sprachlosen Poesie Londons. Sie kamen ihm vor wie Gestalten aus einer Geschichte.

Der kleine Wagen schoß wie eine Kugel auf das rechte Haus zu und feuerte seinen Besitzer heraus wie eine Bombe. Sofort erkundigte er sich bei einem hochgewachsenen, goldbetreßten Portier und einem kleinen, hemdsärmeligen Hausknecht, ob irgend jemand oder irgend etwas sich für seine Wohnung interessiert habe. Ihm wurde versichert, daß seit seiner letzten Nachfrage nichts und niemand an den beiden Angestellten vorbeigekommen sei, worauf er und der leicht verwirrte Angus im Aufzug wie eine Rakete bis ins oberste Stockwerk sausten.

»Kommen Sie eine Minute herein«, sagte Smythe atemlos. »Ich will Ihnen diese Welkinbriefe zeigen. Dann können Sie rasch um die Ecke laufen und Ihren Freund holen.« Er drückte auf einen in der Wand verborgenen Knopf, und die Tür öffnete sich wie von Geisterhand.

Sie traten in ein langgestrecktes, geräumiges Vorzimmer. Das einzig Auffallende daran waren große, halbmenschliche mechanische Figuren, die wie Schneiderpuppen an beiden Seiten aufgereiht dastanden. Gleich Schneiderpuppen waren sie kopflos, gleich Schneiderpuppen hatten sie einen hübschen überflüssigen Buckel zwischen den Schultern und eine Art Hühnerbrust, aber davon abgesehen waren sie einer Menschengestalt nicht ähnlicher als irgendein mannshoher Bahnhofsautomat. Sie hatten zwei armähnliche große Haken zum Tragen von Tabletts, und damit man sie unterscheiden konnte, waren sie erbsgrün, zinnoberrot oder schwarz angestrichen. Ansonsten waren es einfach Automaten, und niemand hätte sich zweimal nach ihnen umgesehen. Jetzt jedenfalls tat es keiner. Denn zwischen den beiden Reihen dienstbarer Puppen lag etwas, was fesselnder war als fast alle Mechanik dieser Welt. Es war ein zerknitterter weißer Zettel, mit roter Tinte beschrieben. Der agile Erfinder hatte ihn sich gegriffen, sobald die Tür aufgegangen war. Wortlos gab er ihn an Angus weiter. Die rote Tinte war noch nicht trocken, und die Botschaft lautete: »Wenn Du sie heute besucht hast, bring ich Dich um.«

Es gab eine kurze Pause, dann sagte Isidore Smythe leise: »Möchten Sie einen kleinen Whisky? Mir würde jetzt jedenfalls einer guttun.«

»Danke, ich möchte lieber einen kleinen Flambeau«, sagte Angus düster. »Die Geschichte wird allmählich ernst. Ich gehe sofort zu ihm.«

»In Ordnung«, sagte der andere bewundernswert abgeklärt. »Bringen Sie ihn nur so schnell wie möglich her.«

Bevor Angus die Tür hinter sich schloß, sah er noch, wie Smythe auf einen Knopf drückte. Einer der Maschinenmenschen verließ seinen Platz und glitt in einer Nut am Boden entlang, ein Tablett mit Siphon und Karaffe tragend. Es kam ihm doch ein wenig unheimlich vor, den kleinen Mann mit diesen leblosen Dienern allein zu lassen, die zum Leben erwachten, sobald sich die Tür schloß.

Sechs Stufen unterhalb von Smythes Stockwerk machte sich der Hemdsärmelige mit einem Eimer zu schaffen. Angus blieb stehen, stellte ihm ein gutes Trinkgeld in Aussicht und nahm ihm das Versprechen ab, seinen Standort nicht zu verlassen, bis er, Angus, mit dem Detektiv zurückkam, und jeden Unbekannten zu registrieren, der etwa die Treppe hinaufwolle. Dann eilte er hinunter in die Halle und vergatterte den Portier zu ebensolcher Wachsamkeit an der Haustür, wobei er zu seiner Erleichterung erfuhr, daß das Gebäude keinen Hinterausgang hatte. Damit nicht zufrieden, hielt er den Streife gehenden Polizisten an und veranlaßte ihn, sich gegenüber dem Eingang zu postieren und diesen zu bewachen. Schließlich blieb er noch einen Augenblick stehen, um eine Handvoll Maronis zu kaufen und sich zu erkundigen, wie lange der Händler noch hierzubleiben gedachte.

Der Kastanienverkäufer schlug den Mantelkragen hoch und meinte, er würde wahrscheinlich bald gehen, er habe das Gefühl, daß es Schnee geben könnte. Tatsächlich war der Abend grau und kalt geworden, doch Angus machte sich mit aller ihm zur Verfügung stehenden Beredsamkeit daran, den Kastanienmann an seinen Platz zu bannen.

»Wärmen Sie sich an Ihrer Ware«, beschwor er ihn. »Essen Sie Ihren ganzen Vorrat auf, es soll Ihr Schaden nicht sein. Sie bekommen einen Sovereign, wenn Sie hier warten, bis ich zurück bin, und mir dann sagen, ob irgend jemand, Mann, Frau oder Kind, das Haus da drüben betreten hat, vor dem der Portier steht.«

Mit einem letzten Blick auf die belagerte Festung ging er rasch davon.

»Das Haus ist eingekreist«, sagte er sich. »Alle vier können unmöglich Welkins Komplizen sein.«

Lucknow Mansions lag gewissermaßen auf einer tieferen Ebene jenes Häusergebirges, als dessen Gipfel man Himalaya Mansions bezeichnen konnte. Flambeaus halbdienstliche Wohnung befand sich im Erdgeschoß und war in jeder Beziehung ein auffallender Gegensatz zu dem Standplatz der eigenartigen amerikanischen Automaten und ihrem hotelähnlich-ungemütlichen Luxus. Flambeau, der mit Angus befreundet war, empfing ihn in einem mit schnörkelig-künstlerischer Pracht ausgestatteten Gemach hinter seinem Büro, dessen Einrichtung aus Hakenbüchsen, orientalischen Raritäten, italienischen Weinflaschen, afrikanischen Kochtöpfen, einer flaumigen Perserkatze und einem verstaubten katholischen Priester bestand, der hier ausgesprochen fehl am Platze schien.

»Mein Freund, Pater Brown«, stellte Flambeau vor. »Ich habe mir schon lange gewünscht, daß Sie ihn kennenlernen. Herrliches Wetter, nur ein bißchen kalt für Südländer wie mich.«

»Ja, es wird wohl klar bleiben«, meinte Angus und setzte sich auf eine lila gestreifte Ottomane.

»Nein«, widersprach der Priester leise. »Es hat angefangen zu schneien.«

In diesem Augenblick begannen die ersten Flocken, wie der Maroni-Mann vorausgesagt hatte, am Fenster vorbeizutreiben.

»Leider«, sagte Angus ernst, »bin ich geschäftlich hier, und zwar in einer ziemlich eiligen Sache. Es ist nämlich so, Flambeau, daß einen Steinwurf von hier ein Mann dringend

Ihrer Hilfe bedarf. Er wird ständig von einem unsichtbaren Feind verfolgt und bedroht, einem Schurken, den noch niemand zu Gesicht bekommen hat.«

Und dann erzählte Angus die Geschichte von Smythe und Welkin. Er begann mit Lauras Bericht und ging dann zu seinen eigenen Erlebnissen über, erzählte von dem unheimlichen Gelächter an der Ecke der beiden menschenleeren Straßen, von den so seltsam deutlichen Worten in einem leeren Raum. Flambeau hörte immer gespannter zu, während der kleine Priester scheinbar so unbeteiligt war wie ein Möbelstück. Als von dem bekritzelten Papierstreifen auf der Schaufensterscheibe die Rede war, stand Flambeau auf, wobei er mit seinen breiten Schultern das ganze Zimmer auszufüllen schien.

»Es ist wohl am besten, wenn Sie mir den Rest auf dem kürzesten Weg zur Wohnung dieses Mannes erzählen. Ich habe den Eindruck, daß wir keine Zeit verlieren dürfen.«

»Mit Vergnügen.« Auch Angus stand auf. »Allerdings ist er im Augenblick nicht in Gefahr, ich habe nämlich vier Leute mit der Bewachung des einzigen Zugangs zu dem Gebäude beauftragt.«

Sie traten auf die Straße hinaus, wobei der kleine Priester wie ein Hündchen hinter ihnen hertrottete. »Wie schnell der Schnee liegenbleibt«, sagte er in heiterem Gesprächston.

Während sie die steilen, schon silbrig überpuderten Nebenstraßen hinaufgingen, brachte Angus seine Geschichte zum Abschluß, und als sie den Halbkreis mit den hoch aufragenden Wohnhäusern erreicht hatten, konnte er sich in Ruhe den vier Wachposten zuwenden. Der Maroni-Mann schwor – sowohl vor als auch nach Entgegennahme des Sovereigns –, er habe die Tür im Auge behalten und keinen Besucher hineingehen sehen. Der Polizist äußerte sich noch bestimmter. Er habe Erfahrung mit Gaunern aller Art, sagte er, solchen im Zylinder und solchen in Lumpen, er sei kein so heuriger Hase, daß er damit rechnete, verdächtige Typen in verdächtiger Gestalt auftreten zu sehen. Er habe auf all und jeden geachtet, aber so wahr ihm Gott helfe, es habe sich niemand gezeigt. Und als alle drei den goldbetreßten Türsteher umringten, der noch immer breitbeinig lächelnd am Portal stand, war der Urteilsspruch noch endgültiger.

»Ich habe das Recht, jedermann – ob Herzog oder Müllkutscher – danach zu fragen, was er hier im Haus zu suchen hat«, sagte der freundliche, prächtig gewandete Riese, »und ich kann schwören, daß ich niemanden zu fragen hatte, seit dieser Herr hier weggegangen ist.«

Der unbedeutende Pater Brown, der sich im Hintergrund gehalten und bescheiden auf den Gehsteig hinuntergeblickt hatte, wagte an dieser Stelle die bescheidene Frage: »Ist denn niemand die Treppe hinauf- oder hinuntergegangen, seit es angefangen hat zu schneien? Es fing an, als wir noch bei Flambeau waren.«

»Nein, Sir, niemand war hier, das können Sie mir glauben«, versicherte der Portier mit wohlwollender Autorität.

»Dann möchte ich nur wissen, was das ist«, sagte der Priester und sah ausdruckslos wie ein Fisch zu Boden.

Die anderen folgten seinem Blick, und Flambeau stieß einen eindeutigen Ausdruck aus, dem er eine französische Geste folgen ließ. Denn es stand völlig außer Zweifel, daß in der Mitte des von dem Goldbetreßten bewachten Eingangs, ja zwischen den anmaßend gespreizten Beinen dieses Kolosses, eine Reihe grauer Fußspuren auf dem weißen Schnee verliefen.

»Mein Gott«, entfuhr es Angus unwillkürlich. »Der Unsichtbare!«

Wortlos drehte er sich um und stürmte die Treppe hinauf, dicht gefolgt von Flambeau. Doch Pater Brown stand noch immer auf der schneebedeckten Straße und sah sich um, als habe er das Interesse an seiner Frage verloren.

Flambeau befand sich in der richtigen Stimmung, die Tür mit seinen mächtigen Schultern einzudrücken. Aber der vernünftigere, wenn auch mit weniger Intuition gesegnete Schotte tastete an dem Türrahmen herum, bis er den unsichtbaren Knopf gefunden hatte. Langsam öffnete sich die Tür.

Im wesentlichen zeigte sich das gleiche dichtgedrängte Interieur. Im Vorraum war es dunkler geworden, obschon er hier und da noch von den letzten roten Strahlen der Abendsonne getroffen wurde. Die eine oder andere der kopflosen Maschinen war zu diesem oder jenem Zweck von ihrem Platz entfernt worden und stand im Dämmerlicht herum. In dieser Beleuchtung wirkte das Grün und Rot ihrer Anstriche dunkler, und ihre Formlosigkeit ließ sie im Zwielicht menschlichen Gestalten irgendwie ähnlicher erscheinen. Doch mitten unter ihnen, genau da, wo der mit roter Tinte beschriebene Zettel gelegen hatte, war etwas, das aussah wie verschüttete rote Tinte. Aber es war keine rote Tinte.

Mit einer französischen Mischung aus Vernunft und Heftigkeit sagte Flambeau nur: »Mord.«

Er stürzte in die Wohnung und hatte innerhalb von fünf Minuten jeden Winkel und jeden Wandschrank inspiziert. Doch wenn er erwartet hatte, eine Leiche zu finden, wurde er enttäuscht. Isidore Smythe war nicht in seiner Wohnung, weder tot noch lebendig. Nach einer äußerst gründlichen Suche trafen sich die beiden mit schweißnassem Gesicht und starrem Blick wieder in dem Vorraum. »Mein Freund«, sagte Flambeau, in seiner Aufregung ins Französische verfallend, »Ihr Mörder ist nicht nur unsichtbar, er hat auch den Ermordeten unsichtbar gemacht.«

Angus sah sich in dem Halbdunkel voller Puppen um, und in einem keltischen Winkel seiner schottischen Seele regte sich Grauen. Eine der lebensgroßen Figuren überschattete unmittelbar den Blutfleck. Vielleicht hatte der zu Tode Getroffene sie gerade noch herbeigerufen, ehe er niedergestürzt war. Einer der Haken, die dem Ding als Arme dienten, war ein wenig angehoben, und Angus hatte plötzlich die schreckenerregende Vorstellung, den armen Smythe habe eines seiner eigenen eisernen Kinder erschlagen. Die Materie hatte sich aufgelehnt, die Maschinen hatten ihren Herrn getötet. Aber was hatten sie mit ihm angestellt?

»Ihn gefressen?« flüsterte ihm ein Alp ins Ohr, und einen Augenblick wurde ihm ganz übel bei dem Gedanken an zerrissene menschliche Überreste, zermalmt und verschlungen von diesem kopflosen Uhrwerk.

Mit größter Anstrengung fand er sein geistiges Gleichgewicht wieder und sagte zu Flambeau: »Tja, so steht es nun. Der arme Kerl ist verdunstet wie eine Wolke und hat einen roten Fleck am Boden hinterlassen. Die Geschichte ist nicht von dieser Welt.«

»Da gibt es nur eins«, sagte Flambeau, »ob es nun ein Fall für diese oder die nächste Welt ist – ich muß mit meinem Freund sprechen.«

Sie gingen die Treppe hinunter, trafen den Mann mit dem Eimer, der wiederum versicherte, er habe keinen Eindringling durchgelassen, den Portier und den wartenden Maroni-Mann, die beide wiederholt beteuerten, sie hätten getreulich Wache gehalten. Aber als Angus sich nach seinem vierten Zeugen umsah, konnte er ihn nicht entdecken und sagte etwas verstört: »Wo ist der Polizist?«

»Entschuldigen Sie bitte«, erklärte Pater Brown, »aber daran bin ich schuld. Ich habe ihn an die Ecke geschickt, um etwas zu untersuchen, das – nun, das meiner Meinung nach eine Untersuchung lohnt.«

»Hoffentlich kommt er bald wieder«, sagte Angus ziemlich schroff. »Der Unglückliche dort oben ist nämlich nicht nur ermordet, sondern spurlos beseitigt worden.«

»Wie denn?« fragte der Priester.

Es gab eine kleine Pause. Dann sagte Flambeau: »Bei meiner Seele, Pater, ich glaube, der Fall betrifft eher Ihr als mein Ressort. Weder Freund noch Feind hat das Haus betreten, aber Smythe ist verschwunden, als hätten ihn die Feen geraubt. Wenn das nicht übernatürlich ist . . .«

In diesem Moment bot sich ihnen ein ungewöhnlicher Anblick. Der dicke blaue Bobby kam um die Ecke gerannt, direkt auf Pater Brown zu.

»Sie hatten recht, Sir«, keuchte er. »Eben hat man die Leiche des armen Mr. Smythe unten im Kanal gefunden.«

Angus legte verstört die Hand an den Kopf. »Ist er hinuntergelaufen und hat sich ertränkt?« fragte er.

»Er ist nicht hinuntergelaufen, das könnte ich beschwören«, sagte der Constable. »Und er ist auch nicht ertrunken, denn die Todesursache ist ein Messerstich über dem Herzen.«

»Und doch haben Sie niemanden das Haus betreten sehen?«
fragte Flambeau eindringlich.

»Gehen wir ein Stück die Straße hinunter«, schlug der
Priester vor. Am anderen Ende des Platzes sagte er unvermittelt: »Wie dumm von mir. Ich habe vergessen, den Polizisten
etwas zu fragen. Ich möchte wissen, ob sie einen hellbraunen
Sack gefunden haben.«

»Warum einen hellbraunen Sack?« fragte Angus erstaunt.

»Wenn es nämlich eine andere Farbe war, müßten wir noch
einmal von vorn anfangen«, sagte Pater Brown. »Wenn es
aber ein hellbrauner Sack war, ist der Fall beendet.«

»Freut mich zu hören«, sagte Angus mit deutlicher Ironie.
»Für mich hat er noch nicht mal angefangen.«

»Das müssen Sie uns jetzt aber ganz genau erzählen«, bat
Flambeau mit dem seltsam gewichtigen Ernst eines
Kindes.

Unbewußt gingen sie rascher die langgezogene Biegung der
Straße entlang. Pater Brown schritt wortlos voran.

Endlich sagte er mit fast rührender Unbestimmtheit: »Ich
fürchte, Sie werden es sehr prosaisch finden. Wir fangen
immer gern mit dem Abstrakten an, und anders kann man
diese Geschichte auch gar nicht anfangen.

Ist Ihnen schon einmal aufgefallen, daß kein Mensch wirklich auf das antwortet, was man fragt? Er antwortet auf das,
was man meint – oder was er glaubt, daß man meint.
Nehmen wir an, eine Dame sagt zu einer anderen auf ihrem
Landsitz: ›Sind Sie zur Zeit allein im Haus?‹, so wird die
Dame nicht antworten: ›Nein. Da sind noch der Butler, die
drei Lakaien, die Zofe und so weiter‹, obwohl die Zofe
vielleicht sogar gerade im Zimmer ist oder der Butler hinter
ihrem Stuhl steht. Sie sagt: ›Ja, ich bin allein‹, weil sie
voraussetzt, daß solche Leute nicht gemeint sein können.
Nehmen wir aber an, ein Arzt fragt die Dame während einer
Epidemie: ›Sind Sie jetzt allein im Haus?‹, dann werden ihr
der Butler, die Zofe und die anderen einfallen. So gehen wir
eben mit der Sprache um, man wird nie eine präzise Antwort
bekommen, selbst wenn die Antwort der Wahrheit ent-
spricht. Als diese vier durchaus redlichen Männer sagten,

niemand habe das Haus betreten, haben sie das auch wirklich ehrlich gemeint. Sie meinten niemand, der Ihr Verdächtiger hätte sein können. Tatsächlich ist ein Mann ins Haus gegangen und auch wieder herausgekommen, aber er ist ihnen überhaupt nicht aufgefallen.«

»Ein Unsichtbarer?« Angus zog die roten Augenbrauen hoch.

»Ein geistig Unsichtbarer«, sagte Pater Brown.

Ein, zwei Minuten später fuhr er in der gleichen bescheidenen Art fort, wie jemand, der einfach laut denkt: »Natürlich kommt einem der Gedanke an so einen Mann nicht – wenn man nicht gerade an ihn denkt. Das eben war das Schlaue an dem Täter. Mir kam der Gedanke aufgrund von zwei, drei Punkten in der Geschichte, die Mr. Angus uns erzählt hat. Zunächst war da der Umstand, daß dieser Welkin lange Spaziergänge zu machen pflegte. Dann waren da die langen Randstreifen in Briefmarkenbögen an der Schaufensterscheibe. Und dann das, was die junge Dame gesagt hat und was offensichtlich nicht stimmen konnte. Nein, werden Sie nicht böse«, fügte er rasch hinzu, als er die jähe Kopfbewegung des Schotten bemerkte. »Sie glaubte, es sei wahr, aber es konnte nicht wahr sein. Eine Person kann nicht ganz allein auf der Straße stehen, wenn sie im nächsten Augenblick einen Brief bekommt. Und sie kann nicht ganz allein auf der Straße stehen, wenn sie einen Brief liest, den sie gerade bekommen hat. Da muß jemand ganz in der Nähe sein, jemand, der geistig unsichtbar ist.«

»Warum muß jemand ganz in der Nähe sein?« fragte Angus.

»Weil der jungen Dame«, erwiderte Pater Brown, »jemand den Brief gebracht haben muß – sofern es keine Brieftaube war.«

»Soll das heißen«, fragte Flambeau erregt, »daß Welkin der Dame seines Herzens die Briefe seines Rivalen brachte?«

»Ja. Welkin brachte der Dame seines Herzens die Briefe seines Rivalen. Es blieb ihm gar nichts anderes übrig.«

»Lange halte ich das nicht mehr aus«, brach es aus Flambeau heraus. »Wer ist dieser Mensch? Wie sieht er aus? In welchem Aufzug zeigt sich ein geistig Unsichtbarer?«

»Er ist recht ansprechend in Rot, Blau und Gold gekleidet«, entgegnete der Priester prompt und mit erfreulicher Genauigkeit. »Und in dieser auffallenden, ja, prunkvollen Kostümierung betrat er unter den Augen von vier Menschen die Himalaya Mansions. Kaltblütig tötete er Smythe, kam, die Leiche unterm Arm, wieder heraus –«

Angus blieb unvermittelt stehen. »Hochwürden, sind Sie verrückt, oder bin ich es?«

»Sie sind nicht verrückt«, sagte Pater Brown. »Nur ein bißchen unaufmerksam. Ihnen ist zum Beispiel so ein Mann nicht aufgefallen.«

Er machte drei rasche Schritte und legte einem ganz gewöhnlichen Briefträger, der unbemerkt im Schatten der Bäume an ihnen vorbeigehuscht war, eine Hand auf die Schulter.

»Irgendwie«, sagte er nachdenklich, »fallen Briefträger einfach nicht auf. Dabei haben sie Leidenschaften wie andere Menschen auch und tragen sogar große Postsäcke mit sich herum, in denen sich ganz leicht eine kleine Leiche verstauen läßt.«

Der Briefträger hatte sich nicht umgedreht, was nahegelegen hätte, sondern er duckte sich und taumelte gegen den Gartenzaun. Es war ein hagerer Mann mit hellem Bart, eine ganz durchschnittliche Erscheinung, aber als er erschrocken über die Schulter sah, blickten alle drei in fast teuflisch schielende Augen.

Flambeau ging heim zu seinen Säbeln, Teppichen und seiner Perserkatze, da dringende Geschäfte auf ihn warteten. John Turnbull Angus ging zu der jungen Dame in der Konditorei, mit der dieser unbekümmerte junge Mann äußerst glücklich zu werden gedachte. Pater Brown aber ging viele Stunden im Sternenlicht mit einem Mörder über die schneebedeckten Hügel, und was sie miteinander sprachen, wird man nie erfahren.

Der Untergang des Hauses Pendragon

Pater Brown stand der Sinn nicht nach Abenteuern. Er war letzthin krank gewesen – wohl, weil er sich überarbeitet hatte –, und als es ihm wieder besserging, hatte sein Freund Flambeau ihn zu einer Kreuzfahrt auf einer kleinen Jacht eingeladen, zusammen mit Sir Cecil Fanshaw, einem jungen Gutsbesitzer aus Cornwall und Liebhaber der kornischen Küstenlandschaft. Aber Pater Brown war doch noch recht schwach und überdies nicht besonders seefest. Es lag ihm zwar nicht, zu nörgeln oder sich gehenzulassen, doch kletterte sein Stimmungsbarometer nie über die Marke geduldiger Höflichkeit hinaus. Als die anderen beiden den bizarren purpurnen Sonnenuntergang oder die bizarren Vulkanfelsen priesen, stimmte er ihnen zu. Als Flambeau ihn auf einen drachenförmigen Felsen aufmerksam machte, sah er hin und meinte, ja, er sähe tatsächlich aus wie ein Drachen. Als Fanshaw noch aufgeregter auf einen Felsen zeigte, der Merlin ähnelte, blickte er hinüber und nickte zustimmend. Als Flambeau fragte, ob dieses Felsentor über dem windungsreichen Fluß nicht wie das Tor zum Märchenland sei, sagte er »ja«. Die bedeutendsten und die nebensächlichsten Dinge hörte er sich mit der gleichen lustlosen Aufmerksamkeit an. Er hörte, daß die Küste für Seeleute tödliche Gefahren barg, wenn sie keine ausgesprochenen Könner seien, er hörte auch, daß die Bootskatze eingeschlafen sei. Er hörte, daß Fanshaw seine Zigarrenspitze nicht finden könne, und er hörte den Lotsen den Orakelspruch verkünden: »Beide Augen helle, günstig ist die Stelle. Wenn eins nur blinkt, zum Grund ihr sinkt.« Er hörte Flambeau zu Fanshaw sagen, daß dies wohl bedeute, der Lotse müsse die Augen offenhalten und auf der Hut sein. Und er hörte Fanshaw zu Flambeau sagen, es bedeute etwas ganz anderes, daß sie nämlich, wenn sie zwei Leuchtfeuer, eins in der Nähe und ein weiter entfernt gelegenes, genau nebeneinander erblickten, auf dem richtigen Kurs seien, während sie Gefahr liefen, an den Klippen zu zerschellen, wenn eins der Leuchtfeuer das andere verdeckte. Er hörte Fanshaw hinzusetzen, seine Grafschaft sei reich an solchen seltsamen Geschichten und Redensarten, hier sei gewissermaßen die Romantik zu Hause. Er beanspruchte für diesen Teil Cornwalls sogar vor Devonshire den Lorbeer elisabethanischer Seemannskunst. Laut Fanshaw hatte es in diesen Buchten und auf den Inselchen Kapitäne gegeben, neben denen Drake geradezu ein Waisenknabe war. Pater Brown hörte Flambeau lachen und fragen, ob der Seemannsruf »Westwärts voraus« demnach nur bedeute, daß alle Bewohner von Devonshire am liebsten in Cornwall ihre Zelte aufschlagen würden. Er hörte Fanshaw sagen, Flambeau solle nicht albern sein. Die Kapitäne aus Cornwall seien wahre Helden gewesen, ja, seien es noch immer. Hier ganz in der Nähe lebe ein alter Admiral, jetzt im Ruhestand, der die erregendsten, abenteuerlichsten Seereisen hinter sich habe. In seiner Jugend habe er die letzte Gruppe von acht pazifischen Inseln entdeckt, die man in die Weltkarte habe einzeichnen können. Dieser Cecil Fanshaw gehörte zu den Menschen, die oft und gern solche etwas unreifen, aber sympathischen Schwärmereien hegen. Er war sehr jung und blond, hatte eine frische Gesichtsfarbe, ein lebhaftes Profil und trotz seines knabenhaften Ungestüms in seiner Art einen fast mädchenhaften Zug. Flambeau mit seinen breiten Schultern, den düsteren Brauen und dem robusten Musketiergehabe bildete dazu einen auffallenden Gegensatz.

All diese Nebensächlichkeiten sah und hörte Pater Brown, doch er nahm sie wahr, wie ein Müder eine Melodie im Geratter der Eisenbahn oder ein Kranker das Muster seiner Tapete wahrnimmt. Niemand kann die wechselnden Stimmungen eines Rekonvaleszenten voraussagen, aber Pater Browns Niedergeschlagenheit rührte wohl zum großen Teil daher, daß er mit der See nicht vertraut war. Denn als die

Flußmündung sich verengte wie ein Flaschenhals, das Wasser ruhiger und die Luft wärmer wurde und wieder mehr nach Erde roch, schien er aufzuwachen und begann sich umzusehen wie ein Baby, das zum ersten Mal seine Umgebung betrachtet. Es war jene Zeit kurz nach Sonnenuntergang, da Luft und Wasser hell wirken und die Erde mit allem, was auf ihr wächst, fast schwarz. Dieser Abend aber hatte noch etwas Besonderes an sich. Es herrschte eine jener seltenen Stimmungen, da es scheint, als sei eine Rauchglasscheibe zwischen uns und der Natur beiseite geschoben worden, so daß selbst dunkle Farben schöner prangen als helle Farben an bedeckten Tagen. Die zertrampelten Flußufer und die düsteren Altwasser wirkten nicht trüb, sondern glänzten wie Bernstein, und die von einem leichten Wind bewegten Wälder waren auf die Entfernung nicht wie sonst blaßblau, sondern sahen aus wie windgezauste Massen leuchtend-purpurner Blüten. Die zauberische Klarheit und Intensität der Farben wirkte auf Pater Browns langsam wiedererwachende Sinne noch stärker durch das Geheimnisvoll-Romantische der Landschaft.

Für ein Vergnügungsboot war der Fluß noch reichlich breit und tief genug, aber die gewundenen Ufer kamen sich immer näher. Die Wälder sahen aus, als setzten sie hier und da kühn, aber vergeblich zu einem Brückenschlag an, und es war, als glitte das Boot von der romantischen Szenerie eines Tales in eine romantische Schlucht und von dort in einen noch romantischeren Tunnel. Aber sonst gab es kaum etwas, das Pater Browns neu geweckte Phantasie hätte anregen können. Menschen waren nicht zu sehen, mit Ausnahme einiger Zigeuner, die mit ihren im Wald geschnittenen Reisigbündeln und Weidenruten am Ufer entlangzogen, und einer heutzutage nicht mehr ungewöhnlichen, aber in diesem entlegenen Winkel dennoch überraschenden Erscheinung einer dunkelhaarigen jungen Frau ohne Hut, die allein in einem Kanu saß und paddelte. Hätte Pater Brown diesen Bildern auch nur die geringste Bedeutung beigemessen, so hätte er sie nach der nächsten Flußbiegung vergessen, wo ein höchst eigenartiges Objekt vor ihnen auftauchte.

Das Wasser schien sich zu verbreitern und zu teilen, gespalten durch den dunklen Keil einer fischförmigen, bewaldeten kleinen Insel. Bei dem Tempo, in dem sie fuhren, schien die Insel wie ein Schiff auf sie zuzuschwimmen, ein Schiff mit sehr hohem Bug oder, genauer gesagt, mit sehr hohem Schornstein. Denn an dem ihnen zugewandten äußersten Ende der Insel stand ein merkwürdiges Gebäude, wie sie noch nie eins gesehen hatten, und ohne jeden erkennbaren Zweck und Sinn. Es war nicht besonders hoch, aber im Vergleich zu seiner Breite doch hoch genug, um die Bezeichnung Turm zu verdienen. Doch schien es sich um eine Holzkonstruktion in einer sehr ungleichmäßigen und exzentrischen Bauweise zu handeln. Etliche Bretter und Balken waren aus guter, abgelagerter Eiche, andere aus grünem Holz, wieder andere aus heller Fichte und ein größerer Teil aus eben diesem Holz, aber schwarz geteert. Diese schwarzen Balken waren kreuz und quer nach allen nur denkbaren Richtungen angefügt, so daß das Ganze wie ein verwirrendes Flickwerk wirkte. Ein oder zwei Fenster waren auszumachen, die in altmodischem, aber kunstfertigem Stil bemalt und in Blei gefaßt waren. Unsere Reisenden betrachteten das Bauwerk mit dem paradoxen Gefühl, das einen überkommt, wenn man sich an etwas erinnert fühlt, dabei aber ganz genau weiß, daß man etwas ganz anderes vor sich hat. Pater Brown verstand sich in Momenten der Verblüffung recht gut darauf, dieser Verblüffung analytisch zu Leibe zu gehen, und kam nach einigem Überlegen darauf, daß bei dieser kuriosen Sache eine bestimmte Form sich mit einem nicht dazu passenden Material verband – als erblickte man einen Zylinderhut aus Blech oder einen Frack aus Schottenstoff. Er hatte das bestimmte Gefühl, schon einmal Holz verschiedener Tönung in dieser Anordnung gesehen zu haben, nie aber in diesen architektonischen Proportionen. Im nächsten Moment lieferte ihm ein kurzer Durchblick zwischen den dunklen Bäumen des Rätsels Lösung, und er lachte. Durch eine Lücke im Laubwerk erschien für einen Augenblick eines jener alten Holzhäuser mit schwarzen Balken an der Fassade, wie man sie noch hier und da in England antrifft, die aber heutzutage den meisten von uns nur als Nachbildungen in Ausstellungen wie »Das alte London« oder »Shakespeares England« begegnen. Pater Brown konnte das Haus gerade lange genug sehen, um zu registrieren, daß es ein zwar altmodisches, aber behagliches und gepflegtes Landhaus war, vor dem Blumenbeete angelegt waren. Nichts erinnerte an das buntscheckig-verrückte Aussehen des Turms, der aus den Resten erbaut zu sein schien.

»Was um Himmels willen ist denn das?« fragte Flambeau, der noch immer mit großen Augen den Turm anstarrte.

Fanshaws Augen blitzten, und er entgegnete triumphierend: »Ja, so was haben Sie noch nicht gesehen, was? Deshalb, mein Freund, habe ich Sie hergebracht. Jetzt sollen Sie sehen, ob ich übertrieben habe, was Cornwalls Seeleute betrifft. Dieser Besitz gehört dem alten Pendragon, den wir den Admiral nennen – obwohl er sich zur Ruhe gesetzt hat, ehe er diesen Rang erhielt. Für die Leute aus Devon ist der Geist Raleighs und Hawkins' eine Erinnerung, für die Pendragons ist er lebendige Gegenwart. Wenn Königin Elisabeth I. sich aus dem Grab erhöbe und in einer vergoldeten Barke den Fluß herunterkäme, würde der Admiral sie in einem Haus empfangen, das in jeder Ecke und in jedem Winkel, in jeder Wandtäfelung und in jedem Teller auf dem Tisch dem entspräche, was sie gewohnt war. Und sie hätte einen englischen Kapitän vor sich, der noch immer begeistert von neuen Ländern spricht, die man mit kleinen Booten entdecken kann – ganz so, als speiste sie mit Drake.«

»Im Garten aber hätte sie ein seltsames Gebilde vor sich«, sagte Pater Brown, »das ihrem Renaissancegeschmack nicht wohlgefällig wäre. Der elisabethanische Baustil ist auf seine Art ganz reizend, aber wenn er sich zu Türmen versteigt, ist er ein Widerspruch in sich.«

»Und genau das ist das Romantische und ganz und gar Elisabethanische an der Sache. Der Turm wurde von den Pendragons zur Zeit der Spanischen Kriege errichtet. Zwar waren Reparaturen und sogar aus einem anderen Grund ein Wiederaufbau nötig, aber der Turm ist immer im alten Stil wiedererstanden. Man erzählt sich, daß Sir Peter Pendragons

Gattin ihn an dieser Stelle und in dieser Höhe errichten ließ, weil man von oben bis zu der Stelle sehen kann, an der die Schiffe in die Flußmündung einfahren, und sie wollte die erste sein, die das Schiff ihres Mannes erblickte, wenn es von hoher See kam.«

»Was meinten Sie damit, daß aus einem anderen Grund auch einmal ein Wiederaufbau nötig war?« fragte Pater Brown.

»Auch dazu gibt es eine merkwürdige Geschichte«, sagte der junge Landedelmann voller Genugtuung. »Sie sind hier überhaupt in einem Land der merkwürdigen Geschichten. König Arthur war hier und vor ihm Merlin und die Feen. Es heißt, daß Sir Peter Pendragon, der wohl bedauerlicherweise nicht nur die Tugenden des Seefahrers, sondern auch die eine oder andere Untugend des Seeräubers besaß, drei Spanier in Ehrenhaft genommen und mitgebracht hatte in der Absicht, sie an Königin Elisabeths Hof zu geleiten. Aber er war ein Mann von feurig-wildem Temperament, und als er mit einem seiner Gefangenen in Streit geriet, packte er ihn an der Kehle und warf ihn – versehentlich oder mit Absicht – über Bord. Der Bruder des Spaniers zog sofort das Schwert und stürzte sich auf Pendragon, und nach einem kurzen, aber heftigen Kampf, in dem sich beide drei Wunden in ebenso vielen Minuten zuzogen, stieß Pendragon seinem Gegner das Schwert in den Leib, und damit war es auch um den zweiten Spanier geschehen. Unterdessen war das Schiff schon in die Flußmündung eingebogen und fuhr in relativ seichtem Wasser. Der dritte Spanier sprang über Bord, schwamm zum Ufer und war bald so nah herangekommen, daß er stehen konnte; das Wasser reichte ihm an dieser Stelle bis zur Hüfte. Er wandte sich dem Schiff zu, reckte beide Arme gen Himmel wie ein Prophet, der eine gottlose Stadt verwünscht, und rief Pendragon mit markerschütternd fürchterlicher Stimme zu, er zumindest lebe noch, er würde weiterleben, ja, er würde ewig am Leben bleiben. Das Haus Pendragon würde ihn und die Seinen nie wiedersehen, aber an sicheren Zeichen erkennen, daß er und seine Rache lebten. Damit verschwand er in den Wellen und ist entweder ertrunken oder so lange unter Wasser geschwommen, daß man nie mehr eine Spur von ihm gefunden hat.«

»Da ist wieder das Mädchen in dem Kanu«, sagte Flambeau zusammenhanglos, denn hübsche junge Frauen vermochten ihn von jedem Thema abzulenken. »Sie scheint über den komischen Turm ebenso zu staunen wie wir.«

Tatsächlich ließ die schwarzhaarige junge Dame ihr Kanu langsam und lautlos an der seltsamen Insel vorbeitreiben und sah aufmerksam, mit einem deutlichen Ausdruck der Neugier auf dem ovalen, olivfarbenen Gesicht, zu dem seltsamen Turm hoch.

»Jetzt lassen Sie mal das Mädchen«, sagte Fanshaw ungeduldig, »davon gibt's genug auf der Welt, aber etwas wie den Turm der Pendragons gibt es nur einmal. Sie können sich denken, daß sich zahlreiche abergläubische Geschichten und Skandale um den Fluch des Spaniers ranken. Und gewiß würden Sie sagen, daß es nicht erstaunlich ist, wenn die ländliche Leichtgläubigkeit von diesem Zeitpunkt ab jede Unbill, die dieser kornischen Familie zustieß, damit in Verbindung brachte. Fest steht, daß der Turm zwei- oder dreimal abgebrannt ist und daß das Glück der Familie nicht gerade hold war. Allein zwei nahe Verwandte des Admirals sind, soviel ich weiß, bei Schiffbrüchen ums Leben gekommen, und zumindest einer praktisch an der gleichen Stelle, an der Sir Peter den Spanier über Bord geworfen hat.«

»Wie schade«, bemerkte Flambeau, »jetzt fährt sie weiter.«

»Wann hat Ihr Freund, der Admiral, Ihnen diese Familiengeschichte erzählt?« fragte Pater Brown, als das Mädchen in dem Kanu davonpaddelte, ohne die geringste Neigung zu zeigen, ihr Interesse von dem Turm ab- und der Jacht zuzuwenden.

»Vor vielen Jahren«, entgegnete Fanshaw. »Er fährt schon seit einiger Zeit nicht mehr zur See, obwohl er nach wie vor sehr erpicht darauf ist. Ich glaube, es gibt da einen Familienpakt oder so etwas Ähnliches. Hier ist der Steg. Gehen wir an Land und schauen wir mal bei dem alten Knaben vorbei.«

Sie folgten ihm auf die Insel. Der Turm erhob sich direkt über ihnen. Pater Brown wirkte sehr viel munterer – sei es, weil er wieder festen Boden unter den Füßen hatte, sei es, weil etwas am anderen Ufer, das er einige Sekunden sehr aufmerksam musterte, sein Interesse erweckt hatte. Sie betraten eine Allee, an der links und rechts ein Zaun aus dünnem, grauem Holz von der Art entlanglief, wie sie oft Parks und Gärten umschließen, und über dem die dunklen Bäume hin und her schwankten wie die schwarzen und purpurnen Federn auf dem Leichenwagen eines Riesen. Der Turm, den sie jetzt hinter sich gelassen hatten, sah um so eigenartiger aus, als Auffahrten dieser Art gewöhnlich von zwei Türmen flankiert werden, während dieser eine unsymmetrisch wirkte. Ansonsten entsprach die Allee ganz dem üblichen Bild einer Auffahrt zu einem Herrensitz. Eine Biegung verdeckte einen Augenblick das Haus, so daß der Park viel größer wirkte, als es auf einer Insel dieses Umfangs überhaupt möglich war. Pater Brown ließ in seiner Erschöpfung vielleicht ein wenig die Phantasie mit sich durchgehen, aber er hatte fast den Eindruck, als werde um sie herum alles immer größer, wie in einem Alptraum. Jedenfalls war diese mystische Monotonie das einzige, was ihren Marsch auszeichnete, bis Fanshaw plötzlich innehielt und auf etwas deutete, das aus dem grauen Zaun hervorragte und zunächst fast so aussah wie das steckengebliebene Horn eines Tieres. Bei näherem Hinsehen entpuppte es sich als eine leicht gebogene metallene Klinge, die schwach im Dämmerlicht aufblitzte.

Flambeau, wie alle Franzosen ein alter Soldat, beugte sich vor und stellte verwundert fest: »Wahrhaftig, ein Säbel. Ich glaube, ich kenne die Art. Schwer und gekrümmt, aber kürzer als bei der Kavallerie. Man hatte sie gewöhnlich bei der Artillerie, und –«

Während er noch sprach, verschwand die Klinge aus dem Spalt, den sie geschlagen hatte, kam mit größerer Wucht noch einmal herunter und durchschlug den Lattenzaun mit einem reißenden Geräusch. Dann wurde sie wieder herausgezogen, blitzte einige Fuß weiter erneut über dem Zaun auf, fuhr mit dem ersten Schlag wieder bis zur Hälfte in das Holz hinein, zuckte ein wenig hin und her, um sich zu befreien (begleitet von Flüchen in der Dunkelheit) und spaltete ihn mit dem zweiten Schlag bis zum Boden. Ein gewaltiger Tritt beförderte das ganze gelockerte Stück aus dünnem Holz auf den Weg, und in dem Lattenzaun gähnte eine große Lücke, durch die man das dunkle Unterholz sah.

Fanshaw blickte in die düstere Öffnung hinein und stieß einen Laut der Verwunderung aus. »Ja, sagen Sie mal, mein lieber Admiral, hauen Sie sich immer eine neue Haustür heraus, wenn Sie einen Spaziergang machen wollen?«

In der Dunkelheit hörte man erneut jemanden fluchen und gleich darauf in herzhaftes Gelächter ausbrechen. »Aber nein«, antwortete die Stimme. »Ich muß nur irgendwie diesen Zaun wegbekommen, in seinem Schatten fangen alle Pflanzen an zu kümmern, und das mache ich am besten selber. Aber jetzt nehme ich nur noch ein Stück am Eingang weg, dann komme ich und begrüße Sie.«

Tatsächlich schwang er nochmals die Waffe und hieb mit zwei Schlägen ein ähnlich großes Stück Zaun heraus, so daß die Öffnung alles in allem etwa vierzehn Fuß breit war. Durch diese Pforte trat er hinaus ins Abendlicht; an der Klinge hing noch ein Stück graues Holz.

Einen Augenblick schien er genau dem von Fanshaw geschilderten Fabelwesen, einem alten Seeräuber-Admiral, zu entsprechen, doch die Details des Bildes erwiesen sich wenig später als reiner Zufall. So trug er als Schutz vor der Sonne einen ganz normalen breitkrempigen Hut, doch der vordere Rand war hochgeschlagen und die beiden Seiten bis zu den Ohren heruntergezogen, so daß der Hut sich bogenförmig über seiner Stirn wölbte wie der alte Dreispitz, den Nelson zu tragen pflegte. Er hatte eine solide dunkelblaue Jacke mit ganz normalen Knöpfen an, die aber in Verbindung mit der weißen Leinenhose ganz seemännisch aussah. Er war hochgewachsen und schlaksig und hatte einen wiegenden Schritt, keinen eigentlichen Seemannsgang, aber etwas, das entfernt daran erinnerte. Und in der Hand hielt er einen kurzen Säbel, der ein wenig an ein Entermesser denken ließ, aber etwa doppelt so lang war. Unter der Hutkrempe war ein Adlergesicht zu sehen, das um so eindrucksvoller wirkte, als es nicht nur glattrasiert, sondern auch ohne Augenbrauen war. Es schien, als habe er sein Gesicht so lange den feindlichen Elementen ausgesetzt, bis er alle Haare daraus verloren hatte. Seine Augen waren vorgewölbt und hatten einen durchdringenden Blick. Besonders auffallend war seine Gesichtsfarbe, die fast etwas Tropisches an sich hatte. Sie erinnerte vage an eine Blutorange. Das Gesicht des Admirals hatte nämlich, obschon es frisch und gut durchblutet war, einen leichten Gelbstich, der aber nicht kränklich wirkte, sondern an die golden glänzenden Äpfel der Hesperiden denken ließ. Pater Brown meinte noch nie eine Gestalt gesehen zu haben, die so anschaulich alle Romanzen aus den Ländern der Sonne verkörperte.

Nachdem Fanshaw seine beiden Freunde mit ihrem Gastgeber bekannt gemacht hatte, fing er wieder an, jenen wegen der Zerstörung seines Zauns und seiner offensichtlichen Lust am Fluchen aufzuziehen. Der Admiral tat das Gehacke am Zaun zunächst als eine zwar notwendige, aber lästige Gartenarbeit ab, doch dann kam in seinem Lachen wieder sein wirkliches Temperament zum Vorschein, und er rief halb ungeduldig, halb gutmütig:

»Na ja, vielleicht bin ich wirklich ein bißchen zu rabiat vorgegangen, es macht mir eben Spaß, etwas kurz und klein zu schlagen. Das würde Ihnen nicht anders gehen, wenn es Ihre größte Freude wäre, in der Weltgeschichte herumzugondeln, um neue Kannibaleninseln zu entdecken, und Sie statt dessen in diesem verkommenen kleinen Steingarten an einem trüben Bach herumhocken müßten. Wenn ich denke, wie ich mit einer Machete, die halb so scharf war wie diese Klinge, eineinhalb Meilen giftig-grünen Dschungel abgeholzt habe, und wenn ich dann überlege, daß ich hier stehen und diese Zündhölzer zerkleinern muß, nur weil jemand einen gottverfluchten Handel einer Familienbibel anvertraut hat, könnte ich –«

Wieder schwang er die schwere Klinge, und diesmal spaltete er den Lattenzaun mit einem Schlag von oben bis unten.

»So ist mir zumute«, sagte er lachend. Dabei schleuderte er mit einer wütenden Bewegung den Säbel ein paar Fuß von sich weg. »Aber jetzt kommen Sie ins Haus, Sie müssen doch etwas zu Abend essen.«

In den halbkreisförmigen Rasen vor dem Haus waren drei kreisförmige Blumenbeete eingelassen, auf dem einen standen rote und auf dem zweiten gelbe Tulpen, auf dem dritten weiße, wächserne Blüten, die den Besuchern unbekannt waren und die sie für Exoten hielten. Ein plumper Gärtner mit wildem Haarschopf und mürrischem Gesicht hängte gerade einen schweren Gartenschlauch auf. Der allmählich verdämmernde Sonnenuntergang, der noch an den Hausecken zu hängen schien, ließ hier und da die Farbenpracht weiter entfernt liegender Blumenbeete aufleuchten. Auf einer Lichtung an der Flußseite des Hauses ragte ein hoher Dreifuß aus Messing mit einem großen Messingfernrohr. Direkt neben den Stufen zum Hauseinang stand ein kleiner grüner Gartentisch, es sah aus, als habe dort jemand Tee getrunken. Der Eingang wurde bewacht von zwei jener primitiv behauenen Steinbrocken mit Löchern als Augen, von denen es heißt, sie seien Südseeidole, und auf dem braunen Eichenbalken über der Tür waren merkwürdige Schnitzereien zu sehen, die fast ebenso barbarisch anmuteten wie die Steine.

Als sie zum Haus gekommen waren, sprang der kleine Geistliche plötzlich auf den Tisch und besah sich von dort aus durch seine Brille ungeniert die Schnitzereien in dem Eichenbalken. Der Admiral machte ein ziemlich erstauntes, aber kein ärgerliches Gesicht, während Fanshaw den Anblick, der an die Kunststücke eines Zwerges auf seinem kleinen Podest erinnerte, so komisch fand, daß er sich das Lachen nicht verkneifen konnte. Pater Brown aber kümmerte sich weder um das Gelächter noch um die Verwunderung.

Er betrachtete drei geschnitzte Symbole, die zwar sehr verwittert und nachgedunkelt waren, für ihn aber immer noch einen gewissen Sinn zu ergeben schienen. Das erste war offenbar der Umriß eines Turmes oder eines anderen Bauwerks, bekrönt von gewellten Bändern. Das zweite war deutlicher zu erkennen: eine alte elisabethanische Galeere auf stilisierten Wogen, in der Mitte unterbrochen durch einen seltsam vorspringenden Felsen, der ebensogut ein Fehler im Holz wie eine altmodische Darstellung hineinflutenden Wassers sein konnte. Die dritte Darstellung zeigte den Oberkörper eines menschlichen Wesens, der in einer geschwungenen, wellenartigen Linie auslief. Die Gesichtszüge waren unkenntlich geworden, beide Arme waren steif in die Höhe gereckt.

Pater Brown blinzelte. »Da haben wir ja die Sage von dem Spanier. Hier reckt er fluchend die Arme hoch, und hier sind die beiden Flüche – das gestrandete Schiff und der brennende Turm der Pendragons.«

Pendragon schüttelte halb respektvoll, halb belustigt den Kopf. »Diese Bilder könnten alles mögliche bedeuten. Wissen Sie nicht, daß diese Darstellung von Halbmenschen – wie auch von halbierten Löwen oder Hirschen – in der Wappenkunde durchaus üblich ist? Könnte diese durch das Schiff gehende geschwungene Linie nicht einer dieser heraldischen Wellenbalken sein, wie man sie wohl nennt? Die dritte Darstellung ist eigentlich kein typisch heraldisches Zeichen, aber es wäre wohl mehr im Sinne der Heraldik anzunehmen, daß es ein lorbeerbekränzter Turm ist und nicht ein brennendes Bauwerk – so sieht es nämlich auch aus.«

»Trotzdem ist es eigenartig«, sagte Flambeau, »daß damit die alte Sage bestätigt wird.«

»Aber wer könnte sagen, ob nicht große Teile der alten Sage eben aus diesen alten Darstellungen erwachsen sind?« meinte der skeptische Weltumsegler. »Außerdem ist das nicht die einzige alte Sage. Unser Fanshaw, der sich für solche Dinge begeistert, wird Ihnen bestätigen, daß es andere und sehr viel grausigere Versionen der Geschichte gibt. In einer Fassung wird meinem unglückseligen Vorfahren nachgesagt, er habe den Spanier in zwei Stücke gehauen, auch das würde zu dem hübschen Bild passen. Eine andere Fassung dichtet unserer Familie freundlicherweise einen Turm voller Schlangen an und deutet die kleinen Kräusellinien auf diese Weise. Nach einer dritten Theorie soll die gewellte Linie an dem Schiff ein stilisierter Blitz sein, und schon das beweist bei ernsthafter Prüfung, daß es mit diesen seligen Zufällen wirklich nicht weit her sein kann.«

»Wie meinen Sie das?« fragte Fanshaw.

»Zufällig weiß ich«, entgegnete sein Gastgeber ungerührt, »daß bei den zwei oder drei Schiffbrüchen in unserer Familie, die mir näher bekannt sind, weder Donner noch Blitz eine Rolle gespielt haben.«

»Ja so«, sagte Pater Brown und sprang von dem kleinen Tisch herunter.

Einen Augenblick schwiegen alle, und man hörte nur das unermüdliche Raunen des Flusses. Dann sagte Fanshaw zweifelnd und vielleicht ein bißchen enttäuscht: »Sie glauben also nicht, daß es mit den Geschichten von dem brennenden Turm etwas auf sich hat?«

»Natürlich erzählt man sich so manches«, gab der Admiral schulterzuckend zu, »und ich will nicht leugnen, daß es für das eine oder andere auch Beweise gibt, soweit man bei solchen Dingen überhaupt von Beweisen sprechen kann. Jemand hat hier, als er durch den Wald nach Hause ging, einen Feuerschein gesehen, ein anderer, der auf den Hügeln landeinwärts seine Schafe hütete, glaubte eine Flamme über dem Turm von Pendragon stehen zu sehen. Dabei liegt auf einem feuchten Erdhaufen wie dieser verteufelten Insel, so möchte man meinen, die Gefahr einer Feuersbrunst wahrhaftig nicht nahe.«

»Was ist denn das da drüben für ein Feuer?« erkundigte sich Brown unvermittelt mit sanfter Stimme und deutete auf den Wald am linken Flußufer. Sie fuhren alle unwillkürlich ein bißchen zusammen, und der phantasiebegabte Fanshaw hatte sogar einige Mühe, sich wieder zu fangen, als sie eine lange, dünne blaue Rauchsäule sahen, die lautlos in das letzte Abendlicht aufstieg.

Dann lachte Pendragon verächtlich auf. »Zigeuner«, sagte er. »Sie lagern seit einer Woche hier. Zeit zum Abendessen, meine Herren.« Und er schickte sich an, ins Haus zu gehen.

Doch Fanshaws altertümlicher Aberglaube war noch nicht

zur Ruhe gekommen. »Und was hat dieses zischende Geräusch ganz in der Nähe der Insel zu bedeuten, Admiral?« fragte er rasch. »Das hört sich ganz nach einem Feuer an.«

»Es hört sich eindeutig nach dem an, was es ist«, lachte der Admiral und ging voran, »ein vorüberfahrendes Kanu.«

In diesem Augenblick erschien der Butler in der Tür, ein hagerer, schwarz gewandeter Mann mit pechschwarzem Haar und langgezogenem, gelben Gesicht, und meldete, es sei angerichtet.

Das Speisezimmer war nautisch wie eine Schiffskabine, aber eher wie die eines heutigen denn eines elisabethanischen Kapitäns. Gewiß, über dem Kamin hingen als Andenken drei altertümliche Entermesser und eine vergilbte Karte aus dem 16. Jahrhundert mit Tritonen und Schiffchen auf gekräuselten Wellen. Doch die fielen auf der weißen Täfelung weniger ins Auge als etliche Vitrinen mit seltenen, sehr sachkundig ausgestopften bunten Vögeln aus Südamerika, phantastischen Muscheln aus dem Pazifik und verschiedenem Werkzeug so wunderlich-primitiver Art, daß Wilde es zum Töten oder aber zum Braten ihrer Feinde benutzt haben mochten. Doch das Kolorit des Fremdartigen erreichte seinen Höhepunkt in der Tatsache, daß neben dem Butler die einzigen Dienstboten des Admirals zwei Schwarze waren, die in enger gelber Livree steckten. Die instinktive Fähigkeit des Priesters, seine eigenen Eindrücke zu analysieren, verhalf ihm zu der Erkenntnis, daß die Farbe und die drolligen Rockschößchen dieser Zweibeiner ihm das Wort »Kanarienvogel« suggerierten und so die Assoziation zu Reisen in südliche Gefilde hergestellt hatten. Gegen Ende der Mahlzeit räumten die gelben Röcke und schwarzen Gesichter das Feld, zurück blieben nur der schwarze Rock und das gelbe Gesicht des Butlers.

»Es tut mir wirklich leid, daß Sie die Sache so leichtnehmen«, sagte Fanshaw zu dem Admiral, »denn ich habe meine Freunde eigens hergebracht, weil ich mir dachte, sie könnten Ihnen helfen, da sie sich in diesen Dingen ein wenig auskennen. Glauben Sie denn überhaupt nicht an diese Familiengeschichte?«

»Ich glaube an gar nichts«, entgegnete Pendragon nüchtern und sah aufmerksam zu einem roten Tropenvogel hoch. »Ich bin ein Mann der Wissenschaft.«

Zu Flambeaus nicht geringem Erstaunen nahm sein geistlicher Freund, der indessen wieder ganz wach zu sein schien, das Stichwort auf und unterhielt sich weitläufig und unerwartet kenntnisreich mit seinem Gastgeber über naturgeschichtliche Fragen, bis das Dessert und die Karaffen auf dem Tisch standen und auch der letzte dienstbare Geist verschwunden war. Dann sagte er in unverändertem Ton:

»Bitte halten Sie mich nicht für aufdringlich, Admiral Pendragon. Ich frage nicht aus Neugier, sondern nur zu meiner Information und in Ihrem Interesse. Gehe ich recht in der Annahme, daß Sie es nicht gern sehen, wenn man über diese alten Geschichten vor Ihrem Butler spricht?«

Der Admiral hob die haarlosen Brauenbögen. »Wie Sie darauf gekommen sind, ist mir schleierhaft, aber es verhält sich tatsächlich so, daß ich den Burschen nicht ausstehen kann, obschon ich keinen Vorwand habe, einen alten Diener der Familie vor die Tür zu setzen. Fanshaw mit seiner Sagensucht würde behaupten, mein Blut sträube sich instinktiv gegen Männer mit solch schwarzem, spanisch aussehendem Haar.«

Flambeau schlug schwer mit der Faust auf den Tisch. »Hol's der Henker, genau solches Haar hatte ja auch das Mädchen.«

»Ich hoffe sehr, daß heute abend alles ein Ende finden wird«, fuhr der Admiral fort, »wenn mein Neffe wohlbehalten mit seinem Schiff zurückkommt. Sie sehen mich erstaunt an? Nun, dann muß ich Ihnen wohl die ganze Geschichte erzählen. Sehen Sie, mein Vater hatte zwei Söhne. Ich blieb Junggeselle, aber mein älterer Bruder nahm eine Frau und bekam einen Sohn, der, wie wir alle, Seemann wurde und der den Besitz einmal erben wird. Nur war mein Vater ein wunderlicher Mensch, er verband Fanshaws Aberglauben mit einem gut Teil meiner Skepsis, und die beiden Tendenzen lagen ständig im Streit miteinander. Nach meinen ersten Seereisen entwickelte er eine Idee, die, wie er meinte, ein für allemal klären würde, ob der Fluch auf Wahrheit beruhe oder Unsinn sei. Wenn alle Pendragons gleichzeitig in der Weltgeschichte herumgondelten, wäre die Wahrscheinlichkeit von Zufallskatastrophen natürlicher Art zu groß, um irgend etwas zu beweisen. Wenn wir aber nacheinander – unter strenger Beachtung der Erbfolge – zur See gingen, müsse sich zeigen, so dachte er, ob irgendein Verhängnis der Familie als solcher auf den Fersen war. In meinen Augen war es eine verrückte Idee, und ich habe mit meinem Vater heftig darüber gestritten, denn ich war ehrgeizig und mußte bis zuletzt warten, da ich in der Erbfolge noch nach meinem Neffen komme.«

»Und Ihr Vater und Ihr Bruder«, fragte der Priester sanft, »sind auf See geblieben?«

»Ja«, seufzte der Admiral. »Durch einen jener grausamen Zufälle, denen alle verlogenen Mythologien der Menschheit zugrunde liegen, erlitten sie beide Schiffbruch. Mein Vater, der vom Atlantik kommend die Küste entlangfuhr, wurde gegen die Felsen Cornwalls geschleudert. Das Schiff meines Bruders sank – keiner weiß wo – auf der Heimreise von Tasmanien. Seine Leiche wurde nie gefunden. Ganz natürliche Unglücksfälle, sage ich Ihnen. Viele andere Menschen außer den Pendragons sind dabei ertrunken, und beide Vorkommnisse werden unter Seeleuten als völlig normal angesehen. Aber natürlich setzten sie den ganzen Wald abergläubischer Ideen in Brand, und überall sahen die Leute flammende Türme. Deshalb habe ich eben gesagt, daß alles wieder in Ordnung kommt, wenn Walter zurück ist. Seine Verlobte wollte heute herkommen, aber ich hatte Angst, eine zufällige Verspätung könne sie beunruhigen, ich habe ihr deshalb telegrafiert, sie solle erst kommen, wenn ich ihr Bescheid gebe. Aber ich erwarte ihn eigentlich heute nacht noch, und dann wird alles in Rauch aufgehen. In Tabaksrauch. Wir werden der alten Lüge mit einer Flasche dieses Weins den Hals brechen.«

»Ein sehr guter Wein«, sagte Pater Brown ernsthaft und hob das Glas, »aber Sie sehen einen miserablen Weintrinker vor sich. Entschuldigen Sie vielmals.« Er hatte ein wenig Wein auf die Tischdecke verschüttet. Jetzt trank er, und als er das Glas absetzte, war sein Gesicht ganz gelassen. Seine Hand hatte genau in dem Augenblick gezuckt, als er in der Scheibe des Gartenfensters hinter dem Admiral ein Gesicht gesehen hatte. Das Gesicht einer brünetten Frau mit schwarzem Haar und dunklen Glutaugen. – Ein junges Gesicht, auf dem ein tragisch-starrer Ausdruck lag.

Nach einer kleinen Pause ergriff erneut der Priester in seiner sanften Art das Wort. »Würden Sie mir einen Gefallen tun, Admiral? Lassen Sie mich und meine Freunde, wenn sie mittun mögen, die heutige Nacht in Ihrem Turm verbringen. Wissen Sie, daß man in meinem Geschäft vor allem auch Exorzist sein muß?«

Pendragon sprang auf und ging rasch vor dem Fenster auf und ab, hinter dem das Gesicht sogleich verschwunden war. »Es ist nur eins. Sie mögen mich einen Atheisten nennen. Na schön, bin ich eben Atheist.« Er fuhr herum und fixierte Pater Brown mit einem erschreckend intensiven Blick. »Es handelt sich um eine völlig natürliche Angelegenheit, von einem Fluch kann keine Rede sein.«

Pater Brown lächelte. »In diesem Fall kann nichts dagegen einzuwenden sein, daß ich in Ihrem schönen Sommerhaus schlafe.«

»Die Idee ist völlig absurd«, entgegnete der Admiral und trommelte erregt auf der Stuhllehne.

»Ich bitte vielmals um Verzeihung. Auch dafür, daß ich den Wein verschüttet habe«, sagte Brown in seinem mitfühlendsten Tonfall, »aber mir scheint, daß Sie der brennende Turm doch nicht so kalt läßt, wie Sie uns glauben machen wollen.«

Admiral Pendragon setzte sich wieder, und zwar so unvermittelt, wie er aufgestanden war. Einen Augenblick blieb er ganz still sitzen, dann sagte er leiser: »Sie tun es auf Ihre eigene Gefahr. Aber würden Sie denn nicht zum Atheisten werden, um bei all diesen Teufelsgeschichten bei Verstand zu bleiben?«

Drei Stunden später schlenderten Fanshaw, Flambeau und der Priester noch durch den dunklen Garten, und den anderen beiden wurde allmählich klar, daß Pater Brown gar nicht die Absicht hatte, zu Bett zu gehen – weder im Turm noch im Haus.

»Ich glaube, der Rasen muß gejätet werden«, sagte er versonnen. »Wenn ich ein Jätmesser oder so was hätte, würde ich es tun.«

Sie folgten ihm lachend und schwach protestierend, aber er blieb ganz ernst und machte ihnen in einer aufreizenden kleinen Predigt klar, daß man immer irgendeine Betätigung finden könne, die hilfreich für andere sei. Ein Jätmesser trieb er nicht auf, dafür aber einen alten Reisigbesen, mit dem er energisch das welke Laub vom Rasen zu fegen begann.

»Sehen Sie, irgend etwas findet sich immer«, sagte er mit der grundlosen Heiterkeit eines Dorftrottels. »Wie George Herbert sagt: ›Wer im Garten des Admirals fegt um Deiner Gesetze willen, adelt diesen und die Tat.‹ Und jetzt –« sagte er und warf plötzlich den Besen weg, »wollen wir die Blumen gießen.«

Mit gemischten Gefühlen sahen sie zu, wie er ein beachtliches Stück des breiten Gartenschlauchs abrollte, und hörten, wie er mit Unschuldsmiene sagte: »Erst die roten Tulpen, dann die gelben, glaube ich. Sehen ein bißchen trocken aus, finden Sie nicht?«

Er drehte den Hahn auf, und das Wasser schoß heraus wie eine lange Stahlrute.

»Vorsicht, Samson«, rief Flambeau. »Jetzt haben Sie einer Tulpe den Kopf abgehackt.«

Pater Brown betrachtete kummervoll die geköpfte Tulpe.

»Meine Art des Gießens ist eine ziemliche Pferdekur, wie mir scheint«, räumte er ein und kratzte sich am Kopf. »Schade, daß ich das Jätmesser nicht gefunden habe. Damit hätten Sie mich sehen sollen. Da wir gerade bei Werkzeugen sind: Flambeau, haben Sie Ihren Stockdegen bei sich? Das ist recht. Und Sir Cecil könnte den Säbel nehmen, den der Admiral dort am Zaun weggeworfen hat. Wie grau alles aussieht.«

»Der Nebel steigt vom Fluß auf«, sagte Flambeau und sah seinen Freund von der Seite an.

In diesem Augenblick erschien der zottige Gärtner auf einer höher gelegenen Stufe des terrassenförmig angelegten Rasens. Er drohte ihnen mit einem Rechen und brüllte mit rauher Stimme: »Schlauch hinlegen, haben Sie verstanden? Legen Sie den Schlauch hin und machen Sie, daß –«

»Ich bin so furchtbar ungeschickt«, entgegnete Hochwürden schüchtern. »Ich habe sogar beim Abendessen meinen Wein verschüttet.« Er machte schwankend eine halbe Drehung, um sich bei dem Gärtner zu entschuldigen, den wasserspritzenden Schlauch noch in der Hand. Der kalte Strahl traf das Gesicht des Gärtners wie eine Kanonenkugel. Er taumelte, glitt aus und landete mit den Stiefeln in der Luft auf dem Hosenboden.

»Wie schrecklich«, sagte Pater Brown und sah sich verwirrt um. »Ich habe einen Menschen niedergeschlagen.«

Er streckte einen Augenblick den Kopf vor, als spähe oder lausche er, dann setzte er sich im Zuckeltrab in Richtung Turm in Bewegung, den Schlauch hinter sich herziehend. Der Turm war ganz nah, aber seine Konturen waren seltsam verschwommen.

»Ihr Flußnebel«, sagte er, »hat einen eigenartigen Geruch.«

»Ja, wahrhaftig«, stieß Fanshaw hervor. Er war sehr blaß geworden. »Aber Sie meinen doch nicht –«

»Ich meine«, sagte Pater Brown, »daß eine der wissenschaftlichen Voraussagen des Admirals heute nacht in Erfüllung gehen wird. Die Geschichte wird in Rauch aufgehen.«

In diesem Augenblick erblühte ein wunderschönes rotes Licht wie eine übergroße Rose, doch dazu erhob sich ein Knistern und Prasseln, das sich anhörte wie Teufelsgelächter.

»Mein Gott, was ist das?« rief Sir Cecil Fanshaw.

»Das Zeichen des Flammenden Turmes«, sagte Pater Brown und richtete Schlauch und Strahl auf das Herz der rosenfarbenen Blüte.

»Nur gut, daß wir noch nicht zu Bett gegangen waren«, meinte Fanshaw. »Auf das Haus kann es wohl nicht übergreifen?«

»Denken Sie daran, daß der Holzzaun, der das Feuer hätte weitertragen können, beseitigt worden ist«, sagte der Priester ruhig.

Flambeau betrachtete seinen Freund mit funkelnden Augen, aber Fanshaw sagte nur ein wenig zerstreut: »Nun, es wird zumindest niemandem ans Leben gehen.«

»Dies ist ein sehr eigenartiger Turm«, bemerkte Pater Brown. »Wenn er Menschen ans Leben geht, dann immer nur solchen, die gerade anderswo sind.«

In diesem Moment stand die Riesengestalt des Gärtners mit dem Rauschebart wieder auf der grünen Rasenstufe vor dem hellen Himmel. Er winkte, aber jetzt hatte er keinen Rechen in der Hand, sondern ein Entermesser.

Hinter ihm tauchten die beiden Neger auf, die ebenfalls mit den alten krummen Entermessern aus der Trophäensammlung bewaffnet waren. Doch in dem blutroten Glast sahen sie mit ihren schwarzen Gesichtern und gelben Rökken eher aus wie Teufel mit Folterwerkzeugen. In dem dunklen Garten hinter ihnen hörte man eine ferne Stimme Anweisungen geben. Als der Priester diese Stimme hörte, veränderte sich sein Gesicht auf erschreckende Weise.

Doch er blieb gefaßt und wandte den Blick nicht von dem Flammenherd, der zunächst größer geworden war, aber jetzt unter dem langen, silbrigen Wasserspeer aufzischte und ein wenig zu schrumpfen begann. Er hielt den Finger an die Schlauchöffnung, um besser zielen zu können, und kümmerte sich um nichts anderes. Die aufregenden Ereignisse, die sich jetzt im Garten der Insel zu überschlagen begannen, nahm er nur als Geräusche und gleichsam aus einem Augenwinkel wahr. Seinen Freunden gab er zwei kurze Anweisungen: »Überwältigt diese Burschen irgendwie und fesselt sie, wer immer sie sein mögen. Unten bei den Reisighaufen liegen Stricke. Sie wollen mir meinen schönen Schlauch wegnehmen.« Und: »Sobald es geht, ruft das Mädchen aus dem Kanu. Sie ist dort am Ufer bei den Zigeunern. Fragt, ob sie ein paar Eimer herüberbringen und Wasser aus dem Fluß schöpfen können.« Dann schloß er den Mund wieder und begoß die neu erblühte rote

Blume so erbarmungslos, wie er es mit der roten Tulpe getan hatte.

Er machte keine Anstalten, den seltsamen Kampf zwischen Freunden und Feinden des geheimnisvollen Feuers zu verfolgen. Er spürte förmlich die Insel unter sich beben, als Flambeau und der schwergewichtige Gärtner aneinandergerieten, aber wie die Fetzen dabei flogen, das konnte er sich nur vorstellen. Er hörte einen schweren Fall und das Triumphgeheul seines Freundes, als er zu dem ersten Neger lief, und die Schreie der beiden Schwarzen, als Flambeau und Fanshaw sie fesselten. Flambeaus enorme Kraft machte die Überzahl der Gegner mehr als wett, zumal der vierte Mann, nur ein Schatten und eine Stimme, sich noch immer in der Nähe des Hauses aufhielt. Der kleine Pater hörte auch, wie Paddel das Wasser aufrührten, hörte, wie das Mädchen Anweisungen gab und die Zigeuner antworteten und, als sie näher kamen, das plumpsende und saugende Geräusch leerer Eimer, die in den schnellen Strom getaucht wurden, schließlich das Geräusch vieler Füße um das Feuer herum. Doch all dies bedeutete ihm nicht so viel wie die Tatsache, daß der rote Flammenkeil, der sich inzwischen wieder vergrößert hatte, erneut kleiner wurde.

Dann ertönte ein Schrei, der ihn fast veranlaßt hätte, sich umzudrehen. Flambeau und Fanshaw hatten sich, unterstützt durch einige Zigeuner, auf die Suche nach dem geheimnisvollen Wesen gemacht, das sich am Haus herumgedrückt hatte, und vom anderen Ende des Gartens her hörte Pater Brown den entsetzten und überraschten Aufschrei des Franzosen. Als Antwort ertönte ein kaum mehr menschlich zu nennendes Geheul, als das Wesen sich ihnen entwand und durch den Garten lief. Mindestens dreimal rannte es um die ganze Insel, und sowohl die Schreie des Verfolgten als auch die Stricke in der Hand der Verfolger gemahnten auf schreckliche Art und Weise an die Hetzjagd auf einen Wahnsinnigen. Aber vielleicht noch schrecklicher war es, daß der Anblick einen gleichzeitig an Kinder erinnerte, die in einem Garten Fangen spielen. Als das Wesen sich von allen Seiten umzingelt sah, sprang es auf eine höher gelegene

Stelle des Flußufers und verschwand aufklatschend in der dunklen, schnell dahinströmenden Flut.

»Mehr können Sie wohl nicht tun«, sagte Pater Brown, und seine Stimme war ausdruckslos vor Kummer. »Inzwischen ist er zu den Klippen hinuntergetrieben, auf die er so viele andere geschickt hat. Er hat erkannt, wie nutzbringend eine Familiensage sein kann.«

»Reden Sie doch nicht ständig in Gleichnissen«, sagte Flambeau ungeduldig. »Können Sie uns nicht klipp und klar sagen, wie es war?«

»Doch«, entgegnete Pater Brown, den Blick auf den Schlauch gerichtet. »Beide Augen helle, günstig ist die Stelle; wenn eins nur blinkt, zum Grund ihr sinkt.«

Das Feuer kreischte und zischte immer lauter, wie ein Geschöpf, dem man die Gurgel zudrückt, während es unter den Fluten aus Schlauch und Eimern kleiner und kleiner wurde. Doch Pater Brown behielt es nach wie vor im Auge, während er fortfuhr:

»Ich wollte eigentlich die junge Dame bitten, bei Anbruch des Tages durch das Fernrohr die Flußmündung und den Fluß zu beobachten. Dort hätte sie vielleicht etwas Interessantes sehen können – ein herannahendes Schiff oder den heimkehrenden Walter Pendragon, vielleicht sogar das Bild des Halbmenschen, denn er ist jetzt zwar bestimmt in Sicherheit, aber es ist nicht ausgeschlossen, daß er ans Ufer waten mußte. Um ein Haar wäre auch er Opfer eines Schiffbruchs geworden, und er wäre nie mit dem Leben davongekommen, wenn die junge Dame nicht vernünftigerweise dem Telegramm des Admirals mißtraut hätte und hergekommen wäre, um ihn im Auge zu behalten. Aber reden wir nicht von dem alten Admiral. Was sollen wir überhaupt noch viel reden? Nur soviel: Wenn der Turm mit seinem vielen Teer und harzigen Holz ernstlich in Brand geriet, sah der Lichtschein am Horizont immer aus wie das Gegenstück des Leuchtturms an der Küste.«

»So also«, sagte Flambeau, »sind Vater und Bruder ums Leben gekommen. Der böse Onkel aus dem Märchen hätte also beinahe doch noch geerbt.«

Pater Brown gab keine Antwort. Er gab, außer nichtssagenden Höflichkeiten, überhaupt nichts mehr von sich, bis sie alle wohlbehalten um eine Zigarrenkiste herum in der Kabine der Jacht saßen. Er hatte noch gesehen, wie das falsche Leuchtfeuer erloschen war, hatte sich dann aber geweigert, noch weiter an Land zu bleiben, obgleich er den jungen Pendragon, von einer begeisterten Menge begleitet, vom Ufer heraufkommen hörte und er – wäre er romantischen Regungen zugänglich gewesen – den Dank des Mannes von dem Schiff und des Mädchens aus dem Kanu hätte entgegennehmen können. Aber die Erschöpfung hatte ihn erneut erfaßt, und er fuhr nur einmal hoch, als Flambeau ihm unvermittelt sagte, er habe Zigarrenasche auf seine Hose fallen lassen.

»Das ist keine Zigarrenasche«, sagte er müde, »sondern Asche von dem Feuer. Aber darauf sind Sie nicht gekommen, weil Sie alle Zigarren rauchen. Und genauso wurde mein Verdacht wegen der Seekarte wach.«

»Meinen Sie Pendragons Karte seiner Pazifikinseln?« fragte Fanshaw.

»Sie haben es für eine Karte der Pazifikinseln gehalten«, entgegnete Brown. »Legen Sie eine Feder mit einer Versteinerung und einem Stückchen Koralle zusammen, und jeder hält es für ein Museumsstück. Stellen Sie die Feder mit einem Band und einer künstlichen Blume zusammen, und jeder wird glauben, es ist die Dekoration für einen Damenhut. Legen Sie dieselbe Feder neben ein Tintenfaß, ein Buch und einen Stapel Schreibpapier – und die meisten Leute würden schwören, eine Schreibfeder gesehen zu haben. Und so haben Sie die Karte zwischen den tropischen Vögeln und Muscheln gesehen und geglaubt, es sei eine Karte der Pazifikinseln. Es war eine Karte dieses Flusses.«

»Woher wissen Sie denn das?« fragte Fanshaw.

»Ich habe den Felsen gesehen, den Sie für einen Drachen hielten, und den, der aussah wie Merlin und –«

»Da haben Sie ja eine Menge bemerkt«, meinte Fanshaw. »Und wir haben gedacht, daß Sie gar nicht recht bei der Sache waren.«

»Ich war seekrank«, sagte Pater Brown schlicht, »und fühlte mich miserabel. Aber wer sich miserabel fühlt, braucht deshalb noch lange nicht blind zu sein.« Er machte die Augen zu.

»Glauben Sie, daß andere Menschen diese Dinge auch bemerkt hätten?« fragte Flambeau.

Er bekam keine Antwort. Pater Brown war eingeschlafen.

Pater Browns Märchenstunde

Das malerische Städtchen und Land Heiligwaldenstein war eines jener Duodezfürstentümer, die sich in einigen Winkeln des Deutschen Reiches noch lange gehalten haben. Der Kleinstaat war erst sehr spät der preußischen Hegemonie angegliedert worden – kaum fünfzig Jahre vor jenem schönen Sommertag, an dem Flambeau und Pater Brown in einer der Gartenwirtschaften von Heiligwaldenstein saßen und das Heiligwaldensteiner Bier tranken. So war, wie wir noch lesen werden, in gar nicht allzu ferner Vergangenheit einiges an Krieg und Willkür über das Land hingegangen. Doch wenn man es jetzt so betrachtete, konnte man sich eines gewissen Eindrucks von Naivität nicht erwehren, welcher den größten Reiz Deutschlands ausmacht – jenes amüsante Spektakel paternalistischer Monarchien, in denen der König ebenso brav und bieder wirkt wie der Koch. Die deutschen Posten vor den zahllosen Schilderhäuschen sahen aus wie Zinnsoldaten, und die sauberen Konturen des im goldenen Sonnenschein daliegenden festungsartigen Schlosses erinnerten an vergoldete Lebkuchen. Das Wetter war strahlend schön, der Himmel reines Preußischblau, wie Potsdam es sich nur wünschen mochte, doch die Farben waren so verschwenderisch aufgetragen, wie Kinder dies mit einem billigen Malkasten zu tun pflegen. Selbst die Bäume mit ihren grauen Stämmen wirkten jugendlich, denn die spitzen Knospen waren rosafarben und wirkten gegen den kräftigblauen Himmel wie Kinderzeichnungen. Ungeachtet seiner prosaischen Erscheinung und seiner eher praktischen Lebenseinstellung besaß auch Pater Brown einen gewissen Hang zur Romantik, obwohl er für gewöhnlich seine Tagträume für sich behielt, wie Kinder das meist tun. Inmitten der hellen, heiteren Farben eines solchen Tages und in dem heraldischen Rahmen einer solchen Stadt kam er sich ein wenig vor wie in einem Märchenland. Er hatte – wie ein jüngerer Bruder – kindliches Vergnügen an dem furchterregenden Stockdegen, den Flambeau beim Gehen zu schwingen pflegte und der jetzt neben seinem hohen Bierkrug lehnte. In einer träumerisch-verspielten Stimmung ertappte er sich sogar dabei, daß ihn der knotige, ungefüge Griff seines schäbigen Regenschirms leise an die Keule eines Ungeheuers aus einem bunten Bilderbuch erinnerte. Doch hat er sich nie selbst in die Gefilde der Dichtung gewagt – allenfalls mit der Erzählung, die nachfolgend wiedergegeben wird.

»Ob man, wenn man es darauf anlegt, an so einem Ort auch Abenteuer erleben könnte?« meinte er. »Es wäre die richtige Kulisse dafür, aber ich habe immer den Eindruck, daß sie hier eher mit Pappschwertern als mit schweren Säbeln auf einen losgehen würden.«

»Da irren Sie sich«, sagte sein Freund. »Hier kämpfen sie nicht nur mit Schwertern, sondern töten sogar ohne sie. Und es passieren sogar noch schlimmere Dinge.«

»Wie meinen Sie das?« fragte Pater Brown.

»Ich möchte behaupten«, entgegnete Flambeau, »daß dies der einzige Ort in Europa ist, an dem jemals ein Mensch ohne Schußwaffe erschossen wurde.«

»Mit Pfeil und Bogen, meinen Sie?«, fragte Pater Brown verwundert.

»Ich meine mit einer Kugel, die geradewegs durch den Kopf ging«, gab Flambeau zurück. »Kennen Sie nicht die Geschichte des verstorbenen Landesfürsten? Vor etwa zwanzig Jahren war das einer der berühmtesten ungelösten Kriminalfälle. Sie wissen ja, daß das Ländchen gleich zu Beginn von Bismarcks Konsolidierungspolitik gewaltsam annektiert wurde – gewaltsam, aber durchaus nicht mühelos. Das Reich (oder was nach Bismarcks Wunsch erst eins werden sollte) betraute den Fürsten Otto von Grossenmark mit der Wahrnehmung der kaiserlichen Interessen. Wir haben uns sein Porträt drüben in der Galerie angeschaut. Er hätte ganz passabel aussehen können, hätte er nur Haare und Augenbrauen besessen und wäre er nicht gar so verrunzelt gewesen. Aber er hatte ja auch genug Sorgen, wie ich Ihnen gleich erzählen will. Er war ein tüchtiger und erfolgreicher Soldat, aber das Ländchen machte es ihm nicht leicht. Er wurde in mehreren Schlachten von den berühmten Arnhold-Brüdern besiegt, den drei Untergrundkämpfern, für die Swinburne ein Gedicht geschrieben hat. Vielleicht erinnern Sie sich:

> Wölfe im Hermelinpelz,
> Krähen gekrönt mit Kronen,
> mag das auch wimmeln wie Läuse,
> drei werden wehren den Drohnen.

Oder so ähnlich. Es ist nicht ausgemacht, ob die Besetzung bleibenden Erfolg gehabt hätte, wenn nicht einer der drei Brüder, Paul, es niederträchtigerweise, aber sehr entschieden abgelehnt hätte, den Drohnen auch weiterhin zu wehren. Er gab alle Geheimnisse der Aufständischen preis, was dazu führte, daß die Verschwörer ausgehoben und er selbst zum Kämmerer des Fürsten Otto befördert wurde. Danach fiel Ludwig, der einzig echte Held unter den dreien, mit dem Schwert in der Hand bei der Einnahme der Stadt, während der dritte, Heinrich, der zwar kein Verräter, aber im Vergleich mit seinen aktiven Brüdern immer zahm und ängstlich gewesen war, sich in eine Art Einsiedelei zurückzog, sich zu einem christlichen Quietismus bekehrte, der fast etwas Quäkerhaftes hatte, der Welt den Rücken wandte und fast alles, was er besaß, den Armen schenkte. Es heißt, er sei bis vor kurzem noch gelegentlich hier in der Gegend gesehen worden, ein Mann in schwarzem Mantel, fast blind, mit wirrem weißem Haar, aber erstaunlich milden Zügen.«

»Ich weiß«, sagte Pater Brown. »Ich habe ihn einmal gesehen.«

Sein Freund sah ihn überrascht an. »Sie waren schon einmal hier? Da wissen Sie vielleicht über die Sache ebensoviel wie ich. Jedenfalls ist das die Geschichte der Arnholds; er war der letzte Überlebende. Ja, und auch der letzte Überlebende unter den Mitwirkenden in diesem Drama.«

»Sie meinen, daß auch der Fürst bereits lange tot ist?«

»Ja, er ist tot. Und das ist schon so ziemlich alles, was wir zu dem Tatbestand sagen können. Sehen Sie, er wurde gegen Ende seines Lebens von jenen nervösen Störungen heimgesucht, die bei Tyrannen nichts Ungewöhnliches sind. Er erhöhte die Zahl der Tag- und Nachtwachen um sein Schloß, bis es aussah, als gäbe es mehr Schilderhäuschen als Wohnhäuser in der Stadt, und zweifelhafte Gestalten wurden gnadenlos erschossen. Er hauste fast nur in einem kleinen Raum inmitten des Labyrinths all der anderen Gemächer, und auch darin ließ er noch eine Art Verschlag errichten, dessen Wände aus Stahl waren – wie bei einem Geldschrank oder einem Schlachtschiff. Es hieß, darunter sei ein geheimes Loch gewesen, nicht größer als eben für seinen Körper nötig war, so daß er in seiner Angst vor dem Grab sich schon zu Lebzeiten an einem grabähnlichen Ort aufhielt. Aber er ging noch weiter. Die Bevölkerung hatte nach der Niederschlagung des Aufstands alle Waffen abgeben müssen, aber jetzt bestand Otto – was Staaten selten tun – auf einer absoluten und buchstäblichen Entwaffnung. Sie wurde mit ungewöhnlicher Sorgfalt und Härte durchgeführt, durch sehr gut organisierte Mitarbeiter, die sich jeweils ein ganz kleines, ihnen genau bekanntes Gebiet vornahmen. Soweit man nach menschlichem Ermessen irgendwelcher Dinge sicher sein kann, durfte Fürst Otto absolut sicher sein, daß niemand auch nur eine Spielzeugpistole nach Heiligwaldenstein einzuschmuggeln vermochte.«

»Menschliches Ermessen kann solcher Dinge nie ganz sicher sein«, sagte Pater Brown, den Blick auf die rötlichen Blüten über seinem Kopf gerichtet.»Und sei es auch nur wegen der Schwierigkeit genauer Definitionen und Begriffe. Was ist eine Waffe? Es sind schon Menschen mit den harmlosesten Haushaltungsgegenständen ermordet worden; ganz gewiß mit Teekesseln, vielleicht auch mit Teewärmern. Hätte man andererseits einem alten Britannier einen Revolver gezeigt, hätte er womöglich gar nicht gewußt, daß es sich um eine Waffe handelt – zumindest so lange, bis ihn ein Knall eines Besseren belehrt hätte. Vielleicht hat jemand eine so neuartige Feuerwaffe importiert, daß man sie nicht einmal als solche erkannte. Vielleicht sah sie aus wie ein Fingerhut oder dergleichen. War an der Kugel irgendwas Besonderes?«

»Nicht daß ich wüßte«, entgegnete Flambeau, »aber meine Informationen sind lückenhaft, sie stammen nur von meinem alten Freund Grimm. Er war ein sehr fähiger Kriminalbeamter in deutschen Diensten und hatte versucht, mich zu verhaften. Statt dessen habe ich ihn verhaftet, und wir haben viele interessante Gespräche miteinander geführt. Er leitete seinerzeit die Ermittlungen im Fall des Fürsten Otto, aber ich habe vergessen, ihn nach der Kugel zu fragen. So wie Grimm es darstellt, ist Folgendes geschehen.« Er hielt einen Augenblick inne, um einen gewaltigen Zug von dem dunklen Bier in seinem Krug zu tun, dann fuhr er fort:

»An dem betreffenden Abend sollte der Fürst in einem der äußeren Gemächer erscheinen, um dort einige Besucher zu empfangen, an denen ihm sehr viel lag. Es waren geologische Sachverständige, welche die hiesigen Berge auf ihre angeblichen Goldvorkommen hin erforschen sollten. Aufgrund dieses Reichtums, so hieß es, habe der kleine Stadtstaat so lange Kredit erhalten, habe sogar unter dem Donner der Kanonen während der Belagerung weiter Handel treiben können. Bisher aber hatten selbst die sorgfältigsten Untersuchungen nichts ergeben, denen –«

»– denen noch nicht einmal eine Spielzeugpistole entgangen wäre«, ergänzte Pater Brown lächelnd. »Aber was war mit dem verräterischen Bruder? Konnte der dem Fürsten nichts sagen?«

»Er behauptete immer, er wisse es nicht«, antwortete Flambeau. »Dies sei das einzige Geheimnis, in das seine Brüder ihn nicht eingeweiht hätten. Gerechterweise muß man sagen, daß diese Behauptung durch einen abgebrochenen Satz gestützt wird, den der große Ludwig in seiner Todesstunde äußerte, als er Heinrich ansah, aber auf Paul deutete und flüsterte ›Du hast *ihm nicht verraten* . . .‹ Bald danach versagte ihm die Stimme. Die Deputation namhafter Geologen und Mineralogen aus Paris und Berlin war sehr prachtvoll und passend gewandet erschienen – denn niemand trägt Orden mit so viel Begeisterung wie der Mann der Wissenschaft, wie jedermann Ihnen bestätigen wird, der einmal eine Soirée der Royal Society, der Britischen Akademie der Naturwissenschaften, besucht hat. Es war eine glanzvolle Versammlung, die aber geraume Zeit warten mußte. Nach einer Weile stellte der Kämmerer fest – Sie haben auch sein Bild gesehen, ein Bursche mit schwarzen Brauen, ernsten Augen und einem leeren Lächeln –, daß alle anwesend waren mit Ausnahme des Fürsten. Der Kämmerer suchte sämtliche Räume ab. Dann, als ihm einfiel, wie hin und wieder den Fürsten eine jähe Panik überkam, eilte er in das innerste Gemach, aber auch das war leer. Es dauerte eine Weile, bis man den Stahlverschlag in seiner Mitte aufgebracht hatte, aber auch dort fand man den Fürsten nicht. Der Kämmerer besah sich das Loch in der Erde, das ihm, wie er hinterher berichtete, tiefer und grabähnlicher vorkam denn je. In diesem Moment hörte er draußen in den langen Sälen und Gängen Geschrei und Tumult.

Erst war es ein dumpfer, wirrer Lärm, weit entfernt oder sogar von außerhalb des Schlosses. Daraus wurde ein wortloses Geschrei, das aus bedrohlicher Nähe erklang und in dem man gut einzelne Worte hätte unterscheiden können, hätte nicht eins das andere erschlagen. Dann kamen Rufe von erschreckender Deutlichkeit immer näher, bis ein Mann ins Zimmer stürzte und so kurz, wie sich so etwas eben machen läßt, die Schreckensnachricht überbrachte.

Otto, Fürst von Heiligwaldenstein und Grossenmark, lag in der einbrechenden Dämmerung draußen im Wald hinter dem Schloß, die Arme ausgebreitet, das Gesicht dem Mond zugekehrt. Das Blut quoll noch aus seiner zerschmetterten Schläfe, aber es war das einzige an ihm, was sich noch regte. Er war korrekt, wie zum Empfang seiner Gäste, in eine weißgelbe Uniform gekleidet, nur seine Schärpe war losgebunden und lag zerknüllt neben ihm. Ehe man ihn aufheben konnte, war er tot. Aber tot oder lebendig – er war ein Rätsel.

Er, der sich immer in die tiefste Tiefe des Schlosses zurückgezogen hatte, lag draußen im nassen Wald, unbewaffnet und allein.«

»Wer hat die Leiche gefunden?« fragte Pater Brown.

»Ein Mädchen, das zum Hof gehörte, eine gewisse Hedwig von Sowieso«, entgegnete sein Freund. »Sie war im Wald gewesen, um Blumen zu pflücken.«

»Hatte sie schon welche gepflückt?« fragte der Priester und sah mit leerem Blick in das Astgewirr über sich.

»Ja. Ich erinnere mich, daß der Kämmerer oder der alte Grimm oder sonst jemand sagte, wie schrecklich es war, als sie näher kamen und ein Mädchen erblickten, das Frühlingsblumen in der Hand hielt und sich über die blutige Leiche beugte. Jedenfalls war er tot, ehe Hilfe herbeigeschafft werden konnte, und die Leute im Schloß mußten benachrichtigt werden. Die Bestürzung überstieg weit das Maß dessen, was bei Hofe gang und gäbe ist, wenn ein Potentat, auf welche Weise auch immer, das Zeitliche segnet. Die ausländischen Besucher, insbesondere die Bergwerksexperten, wie auch eine Reihe bedeutender preußischer Beamter waren äußerst erregt und stellten die wildesten Vermutungen an, und bald erwies sich, daß der Plan, den Schatz zu heben, eine sehr viel größere Rolle spielte, als man zunächst angenommen hatte. Den Sachverständigen und Beamten waren hohe Belohnungen und Vergünstigungen zugesagt worden, und hier und da hieß es sogar, die geheimen Gemächer des Fürsten und die starken militärischen Sicherheitsvorkehrungen seien weniger aus Angst vor der Bevölkerung als zum ungestörten Anstellen privater Nachforschungen geschaffen –«

»Hatten die Blumen lange Stengel?« unterbrach ihn Pater Brown.

Flambeau sah ihn mit großen Augen an. »Sie sind doch wirklich ein sonderbarer Kauz. Genau das hat der alte Grimm gesagt. Das Scheußlichste, sagte er – scheußlicher als das Blut und die Kugel –, sei gewesen, daß die Blumen ganz kurz unterhalb der Blüten abgerissen worden waren.«

»Eben«, sagte der Priester. »Wenn eine erwachsene Frau wirklich Blumen pflücken geht, läßt sie lange Stengel daran.

Wenn sie nur die Köpfe abgerissen hat, wie ein Kind es tun würde, sieht es so aus, als ob –« Er zögerte.

»Nun?« drängte Flambeau.

»Ja, es sieht fast so aus, als habe die Frau sie nur schnell abgerupft, um eine Ausrede für ihre Anwesenheit zu haben, da – nun, da sie eben dort war.«

»Ich weiß, worauf Sie hinauswollen«, sagte Flambeau bedrückt. »Aber dieser und jeder andere Verdacht wird durch die Tatsache hinfällig, daß eben keine Waffe gefunden wurde. Er hätte, wie Sie sagen, mit allen möglichen anderen Gegenständen umgebracht werden können, sogar mit seiner Schärpe. Aber wir haben nicht zu klären, wie er umgebracht, sondern wie er erschossen wurde. Und das eben ist unerklärlich. Die Frau wurde gründlich durchsucht, denn, ehrlich gesagt, war sie nicht ganz unverdächtig, obwohl sie die Nichte und das Mündel des bösen alten Kämmerers, Paul Arnhold, war. Aber sie war sehr romantisch veranlagt, und man vermutet, daß sie Sympathie für die früheren revolutionären Neigungen ihrer Familie empfand. Doch man mag so romantisch sein, wie man will – ohne Flinte oder Pistole kann man selbst mit noch so viel Phantasie niemandem eine Kugel durch den Kopf jagen. Und eine Schußwaffe hat man eben nicht gefunden, obschon zwei Schüsse gefallen waren. So, und jetzt sind Sie an der Reihe, mein Freund.«

»Woher wissen Sie, daß es zwei Schüsse waren?« fragte der kleine Priester.

»Er hatte nur die eine Wunde am Kopf«, entgegnete Flambeau, »aber in der Schärpe war ein zweiter Durchschuß.«

Pater Brown runzelte die Stirn. »Ist die zweite Kugel gefunden worden?«

Flambeau schaute jetzt ebenfalls recht nachdenklich drein. »Ich kann mich nicht erinnern.«

»Sagen Sie nichts«, stieß Pater Brown, ganz ungewöhnlich erregt, hervor. »Bitte sagen Sie jetzt nichts. Halten Sie mich nicht für unhöflich, aber ich möchte mir das einen Augenblick durch den Kopf gehen lassen.«

»Schon gut«, lachte Flambeau und leerte seinen Krug. Eine leichte Brise bewegte die knospenden Bäume und wehte weiße und rosafarbene Wölkchen über den Himmel, die die Bläue noch tiefer und das bunte Bild noch kurioser erscheinen ließen. Die Blütenblätter glichen Engelchen, die aus einem himmlischen Kindergarten heimwärts flogen. Der älteste Turm des Schlosses, der Drachenturm, stand so grotesk und so gemütlich da wie der Bierkrug. Doch hinter dem Turm schimmerte der Wald hervor, in dem der Tote gelegen hatte.

»Was ist aus dieser Hedwig geworden?« fragte endlich der Priester.

»Sie ist mit einem General Schwartz verheiratet«, sagte Flambeau, »von dessen romantischer Karriere Sie gewiß schon gehört haben. Schon vor seinen Heldentaten bei Sadowa und Gravelotte hatte er sich ausgezeichnet. Er kommt aus dem Mannschaftsstand, was sogar in einem deutschen Kleinstaat –«

Pater Brown richtete sich kerzengerade auf. »Er kommt aus dem Mannschaftsstand«, wiederholte er und spitzte den Mund, als wollte er pfeifen. »Was für eine sonderbare Geschichte. Was für eine sonderbare Art, einen Menschen umzubringen. Nun ja, es war wohl die einzige Möglichkeit. Und doch, zu denken, daß Haß so geduldig sein kann ...«

»Was soll das heißen?« fragte Flambeau. »Wie hat man den Mann umgebracht?«

»Mit der Schärpe«, sagte Brown bedächtig, und als Flambeau protestierte: »Ja, ja, ich weiß, die Kugel ... Vielleicht sollte ich sagen, er starb, weil er eine Schärpe hatte. Klingt nach einer ziemlich ungewöhnlichen Krankheit, wie?«

»Sie haben sich offensichtlich in Ihrem Kopf eine Theorie zurechtgelegt«, sagte Flambeau, »aber damit allein bekommen Sie die Kugel aus seinem Kopf nicht heraus. Ich sagte schon, er hätte durchaus auch erdrosselt werden können. Aber er ist nun mal erschossen worden. Von wem? Und wie?«

»Er wurde auf seinen eignen Befehl erschossen«, erwiderte der Priester.

»Sie meinen, er hat Selbstmord begangen?«

»Ich habe nicht gesagt, auf seinen eigenen Wunsch«, wider-

sprach Pater Brown. »Ich sagte: Auf seinen eigenen Befehl.«

»Nun rücken Sie schon heraus mit Ihrer Theorie.«

Pater Brown lachte. »Ich bin auf Urlaub. Ich habe keine
Theorien. Aber dieser Ort gemahnt mich an Märchen, und
wenn Sie wollen, erzähle ich Ihnen eins.«

Die rosa Wölkchen, die ein bißchen wie Zuckerwatte aussa-
hen, hatten sich über den Türmen des vergoldeten Lebku-
chenschlosses versammelt, und die rosa Babyfinger der
blühenden Bäume streckten und reckten sich ihnen entgegen. Das Blau des Himmels verfärbte sich zu abendlichem
Violett. Pater Brown begann:

»An einem trüben Abend, der Regen tropfte noch von den
Bäumen und der Tau begann sich zu sammeln, trat Fürst
Otto von Grossenmark eilig aus einem Seitentor des Schlosses und ging rasch in den Wald hinein. Eine der zahllosen
Wachen salutierte, aber er achtete nicht darauf. Er selbst
legte keinen gesteigerten Wert darauf, beachtet zu werden,
und war froh, als die hohen Bäume, die grau und regen-
schwer waren, sich hinter ihm schlossen. Bewußt hatte er das
Schloß an der am wenigsten belebten Seite verlassen, doch
selbst hier herrschte mehr Betrieb, als ihm lieb war. Doch es
bestand kaum Gefahr, daß ihm jemand diensteifrig nachlau-
fen würde, da er mit diesem Ausflug ins Freie einem
plötzlichen Impuls gefolgt war. Die prächtig gewandeten
Diplomaten, die er zurückgelassen hatte, waren unwichtig.
Ihm war plötzlich klargeworden, daß er auf sie verzichten
konnte.

Sein Leben wurde nicht beherrscht von der Angst vor dem
Tod – was immerhin eine edle Regung gewesen wäre –,
sondern von der seltsamen Gier nach Gold. Um dieser alten
Sage willen war er von Grossenmark ausgezogen und hatte
Heiligwaldenstein in seine Gewalt gebracht. Nur darum
hatte er den Verräter gekauft und den Helden erschlagen, um
des Goldes willen hatte er den falschen Kämmerer immer
wieder bestürmt und bedrängt, bis er zu der Überzeugung
gekommen war, daß der Verräter tatsächlich die Wahrheit
sprach, wenn er seine Unwissenheit beteuerte. Darum hatte

er, ein wenig widerstrebend zwar, viel Geld gezahlt und Geld zugesagt – in der Hoffnung, damit Größeres zu gewinnen. Und darum hatte er sich wie ein Dieb im Regen aus seinem Schloß geschlichen, denn ihm war noch eine andere Möglichkeit eingefallen, ans Ziel seiner Wünsche zu gelangen, und zwar um einen billigeren Preis.

Dort oben, am Ende eines gewundenen Bergpfades, auf das er zuschritt, zwischen den aufgetürmten Felsen der Bergkuppe, die sich über der Stadt erhob, stand die Einsiedelei, kaum mehr als eine mit Dorngebüsch umgebene Höhle, in der sich der dritte Bruder seit langem vor der Welt verborgen hielt. Der, meinte Fürst Otto, konnte eigentlich keinen rechten Grund haben, ihm das Gold zu verweigern.

Der dritte Bruder kannte das Versteck seit Jahren, hatte aber nie einen Versuch gemacht, den Schatz zu heben, auch früher nicht, ehe sein neuer asketischer Glaube ihm Besitz oder weltliche Freuden verbot. Gewiß, er war ein Feind des Fürsten gewesen, aber jetzt hatte er sich verpflichtet, keine Feinde mehr zu haben. Mit einem Zugeständnis in der Sache, einem Appell an seine Grundsätze würde man ihm vermutlich das Geheimnis des Goldes entlocken können. Otto war – trotz des Netzwerks militärischer Sicherungen, mit dem er sich umgeben hatte – kein Feigling, und seine Habgier war stärker als seine Furcht. Überdies hatte er eigentlich wenig zu fürchten. Er konnte sicher sein, daß es im ganzen Fürstentum keine Waffen in Privatbesitz gab – wieviel weniger also in der Klause dort oben, wo der Alte von den Früchten des Waldes lebte und jahrelang keine Menschenseele zu sehen bekam außer den zwei bäurischen Dienern, die ihn in die Einsamkeit begleitet hatten. Fürst Otto blickte mit grimmigem Lächeln auf das helle Labyrinth der laternenerleuchteten Stadt zu seinen Füßen. So weit das Auge reichte, ragten die Gewehre seiner Freunde, und seine Feinde hatten keine Prise Pulver zur Verfügung. Die Gewehre standen so dicht – sogar in nächster Nähe des Bergpfades –, daß ein Ruf von ihm genügen würde, um die Soldaten den Berg heraufstürmen zu lassen. Außerdem wurden auch der Wald und der Hang hinter dem Schloß in regelmäßigen

Abständen von Patrouillen begangen. Die Gewehre reichten so weit in die düsteren Wälder hinein und bis an den Fluß dort drüben, daß nicht einmal auf Schleichwegen ein Feind in die Stadt gelangen konnte. Und rings um das Schloß standen die Gewehre am Westportal und am Ostportal, am Nordtor und am Südtor, zwischen allen vier Punkten in geschlossener Reihe. Er war in Sicherheit.

Das wurde um so deutlicher, als er die Anhöhe erklommen hatte und sah, wie schutzlos das Nest seines früheren Feindes dalag. Es stand auf einem kleinen Felsplateau, von dem es an drei Seiten steil in die Tiefe ging. Hinter ihm war die dunkle, mit grünem Dorngebüsch umwucherte Höhle. Der Eingang war so niedrig, daß es kaum zu verstehen war, wie ein Mensch dort hineinkommen konnte. Davor war der Steilhang; man sah weit ins Tal hinein, das in leichtem Dunst lag.

Im Vordergrund stand ein altes Lesepult aus Bronze, das sich unter dem Gewicht einer großen deutschen Bibel bog. Die Bronze hatte in der scharfen Höhenluft Grünspan angesetzt, und Otto dachte sofort: ›Selbst wenn sie Waffen gehabt haben, müssen die inzwischen längst verrostet sein.‹ Der Mond war unterdessen aufgegangen und warf sein bleiches Licht über die Gipfel und Zacken der Felsen. Es hatte aufgehört zu regnen.

Hinter dem Pult, mit Blick auf das Tal, stand ein Greis in schwarzem Gewand, das so senkrecht an ihm herabfiel wie die Steilfelsen am Hang. Sein weißes Haar und seine schwache Stimme schienen gleichermaßen im Winde zu flattern. Er las offenbar die tägliche Lektion, die zu seinen frommen Pflichten gehörte. ›Sie vertrauen auf ihre Pferde...‹

›Ehrwürdiger Herr‹, sagte der Fürst von Heiligwaldenstein ungewöhnlich höflich. ›Ich möchte gern ein Wort mit Euch sprechen.‹

›...und auf ihre Streitwagen‹, fuhr der Alte mit matter Stimme fort. ›Doch wir vertrauen auf den Namen des Herrn aller Heerscharen...‹ Die letzten Worte waren nicht mehr zu verstehen. Er schloß das Buch ehrfurchtsvoll, und da er fast blind war, machte er eine tastende Bewegung und griff nach dem Pult. Sogleich tauchten die beiden Diener aus der niedrigen Höhle auf und stützten ihn. Sie trugen dunkle Gewänder wie er, doch ihr Haar hatte nicht den eisfarbenen Silberschimmer wie das des Eremiten, und ihre Züge trugen nicht den kühlen Ausdruck von Vornehmheit. Es waren Bauern, Kroaten oder Magyaren, mit breiten, stumpfen Gesichtern und blinzelnden Augen. Dem Fürsten wurde jetzt doch ein wenig unbehaglich zumute, aber sein Mut und sein diplomatisches Geschick ließen ihn nicht im Stich.

›Wir sind uns seit der schrecklichen Schlacht, in der Euer armer Bruder fiel, bedauerlicherweise nicht mehr begegnet‹, sagte er.

›Alle meine Brüder sind tot‹, sagte der Alte, noch immer ins Tal blickend. Dann wandte er Otto kurz sein schmales, fein-geschnittenes Gesicht zu, und die winterlich grauen Haare fielen ihm über die Brauen wie Eiszapfen. ›Sehen Sie, auch ich bin tot‹, fügte er hinzu.

Der Fürst nahm sich zusammen und sprach fast versöhnlich. ›Bitte denkt nicht, ich sei hergekommen, um Euch wie ein Geist jener großen Schlacht heimzusuchen. Wir wollen nicht darüber reden, wer recht und wer unrecht hatte, aber es gab zumindest einen Punkt, bei dem Ihr immer im Recht gewe-sen seid. Man mag zu der Haltung Eurer Familie stehen, wie man will – niemand ist je auf den Gedanken gekommen, daß es Euch um das Gold ging. Ihr habt bewiesen, daß Ihr über jeden Verdacht erhaben...‹

Der Greis in dem alten, schwarzen Gewand hatte ihn bisher nur aus seinen wasserblauen Augen angesehen, während auf seinem Gesicht ein Ausdruck müder Weisheit lag. Doch als das Wort ›Gold‹ fiel, streckte er die Hand aus, als müsse er etwas abwehren, und wandte das Gesicht den Bergen zu.

›Er hat von Gold gesprochen‹, sagte er. ›Er hat von Dingen gesprochen, die nicht erlaubt sind. Man hindere ihn am Weitersprechen.‹

Otto war in dem Irrtum seines preußischen Geschlechts und der preußischen Tradition befangen, die den Erfolg nicht als eine Episode, sondern als einen Dauerzustand betrachtet. Er sah sich und seinesgleichen stets als Sieger über Völker, die als Besiegte geradezu prädestiniert schienen. Folglich war Überraschung ein ihm fremdes Gefühl, und er war auf das, was ihm jetzt geschah, was ihn schreckte und lähmte, höchst unzureichend vorbereitet. Er hatte eben zu einer Antwort an den Eremiten angesetzt, als ihm der Mund geschlossen und die Stimme erstickt wurde, und zwar durch einen dicken, weichen Knebel, der sich wie ein Schraubstock um seinen Kopf legte. Es dauerte volle vierzig Sekunden, bis er begriffen hatte, daß dies das Werk der beiden Bediensteten war und daß sie sich seiner eigenen Schärpe dazu bedient hatten.

Der Alte tappte zu seiner dicken Bibel auf dem Lesepult zurück und blätterte mit einer Geduld, die etwas Erschreckendes hatte, bis er zu der Epistel des hl. Jakobus kam. Da begann er zu lesen: ›Also ist auch die Zunge ein kleines Glied und richtet große Dinge an...‹

Etwas in dieser Stimme jagte den Fürsten den Bergpfad hinunter, den er gerade erst mühsam erklommen hatte. Er war schon auf halbem Weg zum Schloßpark, ehe er den Versuch machte, sich die Schärpe von Hals und Mund zu reißen. Er versuchte es immer wieder, aber es wollte nicht gelingen. Die Männer, die ihn gefesselt hatten, wußten wohl, was ein Mensch mit seinen Händen vor sich und was er damit hinter seinem Kopf anstellen kann. Mit den Beinen konnte der Fürst springen wie eine Bergantilope, mit den Armen konnte er jede Bewegung machen, jedes Signal geben, aber er konnte nicht sprechen. Ein stummer Teufel war in ihm.

Er war bis dicht an den Wald herangekommen, der das Schloß umgab, als ihm klar wurde, was es für ihn bedeutete, mit Stummheit geschlagen zu sein – und was damit bezweckt werden sollte. Wieder – aber diesmal ohne Lächeln – blickte er auf das helle Labyrinth der laternenbeleuchteten Stadt herunter. Er wiederholte sich mit mörderischer Ironie seine Gedankengänge von vorhin. So weit das Auge reichte, ragten die Gewehre seiner Freunde, und jeder war bereit, ihn totzuschießen, wenn er das Losungswort nicht sagen konnte. Die Gewehre standen so dicht, daß die Wälder und der Hang hinter dem Schloß in regelmäßigen Abständen von Patrouillen begangen werden konnten, es war also sinnlos, sich bis zum Morgengrauen im Wald zu verbergen. Die Gewehre reichten so weit in die Wälder hinein, daß nicht einmal auf Schleichwegen ein Feind in die Stadt gelangen konnte, es hatte also keinen Zweck, einen Bogen um den Ort zu machen und ihn aus einer anderen Richtung zu betreten. Ein Ruf von ihm würde genügen, die Soldaten den Berg hinaufstürmen zu lassen. Aber er konnte nicht rufen.

Das Silberlicht des Mondes war heller geworden, der Himmel leuchtete in nächtlichem Blau zwischen den schwarzen Reihen der Fichten hervor, die das Schloß umgaben. Eine große, fedrige Blumensorte – er hatte vorher nie auf solche Dinge geachtet – wirkte im Mondlicht leuchtend und farblos zugleich, die Blüten sahen unbeschreiblich bizarr aus, wie sie sich da kriechend um die Baumwurzeln scharten. Vielleicht hatte durch die seltsame Gefangenschaft, in der er sich befand, sein Verstand gelitten. Jedenfalls spürte er in diesem Wald etwas unergründlich Deutsches: das Märchen. Er hatte die unklare Vorstellung, daß er sich dem Schloß eines Ungeheuers näherte – und hatte vergessen, daß er selbst dieses Ungeheuer war. Er erinnerte sich, wie er einst seine Mutter gefragt hatte, ob im Schloßpark Bären wohnen. Er bückte sich, um eine Blume zu pflücken, als sei sie ein Schutz gegen bösen Zauber. Der Stengel war kräftiger, als er gedacht hatte, und brach mit leisem Knacken. Als er sich gerade die Blume in den Gürtel stecken wollte, hörte er den Anruf der Wache. Dann fiel ihm ein, daß die Schärpe nicht dort saß, wo sie hingehörte.

Er versuchte zu schreien und blieb stumm. Da kam der zweite Anruf, dann pfiff ein Schuß heran, und nach dem Aufschlag trat Stille ein. Otto von Grossenmark lag friedlich unter den Bäumen des Märchenwaldes und würde niemandem mehr Schaden zufügen – weder durch Gold noch durch Stahl. Nur der Silberstift des Mondes zeichnete hier und da die kunstvolle Stickerei seiner Uniform oder die Runzeln des Alters auf seiner Stirn nach. Möge Gott seiner Seele gnädig sein.

Der Posten, der, dem strengen Reglement folgend, geschossen hatte, kam angerannt, um nach seinem Opfer zu suchen. Es war ein Gemeiner namens Schwartz, der sich indessen in seinem Stand einen gewissen Namen gemacht hat. Er fand einen alten kahlköpfigen Mann in Uniform, sein Gesicht war fast vollständig durch eine Art Maske aus seiner eigenen Schärpe verhüllt, so daß man nur tote, offenstehende Augen sah, die frostig im Mondlicht glitzerten. Die Kugel war durch den Knebel in den Kopf gedrungen. Deshalb war ein Loch in der Schärpe, obwohl nur ein Schuß gefallen war. Verständlicherweise – obschon sein Verhalten vielleicht nicht ganz korrekt war – riß der junge Schwartz die geheimnisvolle seidene Maske ab und warf sie ins Gras. Und da sah er, wen er erschossen hatte.

Was danach geschah, können wir nicht mit völliger Sicherheit sagen. Aber ich neige zu der Annahme, daß in diesem Wäldchen, so schrecklich auch der Anlaß war, sich ein Märchen abgespielt hat. Ob die junge Dame namens Hedwig den Soldaten, den sie rettete und später ehelichte, vorher gekannt hat oder ob sie zufällig an den Ort des Geschehens geriet und die beiden sich erst an diesem Abend näherkamen, werden wir vermutlich nie erfahren. Aber wir können wohl sagen, daß diese Hedwig eine Heldin war und sich einen Mann verdient hat, der später so etwas wie ein Held wurde. Was sie tat, war kühn und war klug. Sie überredete den Mann, wieder auf seinen Posten zurückzugehen, wo ihn niemand mit dem Unglück in Verbindung bringen würde. Er war einer der treuesten und gewissenhaftesten unter fünfzig solcher Wachen in Rufnähe. Sie blieb bei der Leiche und schlug Alarm, und auch sie konnte man mit dem Unglück nicht in Verbindung bringen, da sie keine Waffe besaß und sich auch keine hätte beschaffen können.«

Pater Brown erhob sich. »Ich hoffe, sie sind miteinander glücklich geworden«, sagte er vergnügt.

»Wohin wollen Sie?« fragte sein Freund.

»Ich will mir noch einmal das Bild des Kämmerers ansehen, jenes Arnhold, der seine Brüder verriet«, entgegnete der Priester. »Ich möchte wohl wissen, welche Rolle ... Ich möchte wissen, ob ein Mann darum weniger ein Verräter ist, wenn er zweimal Verrat geübt hat.«

Und er stand lange grübelnd vor dem Porträt eines weißhaarigen Mannes mit schwarzen Augenbrauen und einem wie aufgemalten rosafarbenen Lächeln, das zu der schwarzen Drohung in den Augen nicht recht zu passen schien.

Das Wunder von Moon Crescent

Moon Crescent war im Grunde so romantisch gedacht wie benannt, und was sich dort zutrug, war auf seine Art auch romantisch genug. Zumindest kam darin etwas von jenen echten historischen, ja fast heroischen Gefühlswerten zum Ausdruck, die sich in den älteren Städten an der amerikanischen Ostküste nach wie vor neben dem Kommerzdenken behauptet haben. Ursprünglich eine geschwungene Häuserreihe in klassizistischer Bauweise, hielt sie jene Atmosphäre des 18. Jahrhunderts wach, in der Männer wie Washington und Jefferson um so bessere Republikaner schienen, weil sie Aristokraten waren. Von Reisenden, die unweigerlich gefragt wurden, wie sie unsere Stadt fänden, erwartete man insbesondere, daß sie kundtaten, was sie von unserer »Mondsichelstraße« hielten. Eben jene Gegensätze, welche die ursprüngliche Harmonie des Straßenzuges störten, sicherten sein Überleben. Von den letzten Fenstern an einem Ende oder Horn der Straße sah man auf eine parkähnliche Anlage mit Bäumen und Hecken, streng und formell wie ein Garten aus der Zeit von Queen Anne. Gleich um die Ecke jedoch gingen die anderen Fenster derselben Räume auf die kahle, abstoßende Brandmauer eines gewaltigen Lagerhauses hinaus, das zu einem häßlichen Industrieunternehmen gehörte. An diesem Ende der Moon Crescent waren die Wohnungen nach dem eintönigen Muster amerikanischer Hotels umgebaut worden. Die Häuser erreichten zwar in der Höhe nicht das riesige Magazin, hätten aber in London doch bereits den Namen Wolkenkratzer verdient. Die Kolonnaden, die außen an der ganzen Häuserfront entlangliefen, trugen eine graue, verwitterte Würde zur Schau, als lustwandelten darin noch die Geister der Väter der Republik. Die Innenausstattung der Räumlichkeiten hingegen war mit modernstem New Yorker Komfort versehen, besonders am nördlichen Ende zwischen dem gepflegten Garten und der kahlen Lagerhausmauer. Hier befanden sich kleine Suiten, die jeweils aus Wohnzimmer, Schlafzimmer und Badezimmer bestanden und einander glichen wie die Zellen eines Bienenstocks. In einer dieser Suiten saß der berühmte Warren Wynd an seinem Schreibtisch, ordnete mit bewundernswerter Flinkheit und Präzision Briefe und erteilte Anweisungen, so daß sich einem der Vergleich aufdrängen konnte, hier sei ein Wirbelwind mit Ordnungssinn am Werk.

Warren Wynd war ein sehr kleiner Mann mit schütterem grauen Haar und Spitzbart, scheinbar gebrechlich, aber brennend vor Energie. Er hatte erstaunliche Augen, heller als Sterne und stärker als Magneten, die niemand, der sie je gesehen hatte, so leicht vergaß. Und in der Tat hatte er in seiner Arbeit als Reformator und Organisator vieler guter Werke bewiesen, daß er Augen im Kopf hatte. Man erzählte sich alle möglichen Geschichten und Legenden über die wundersame Schnelligkeit, mit der er sich ein verläßliches Urteil – insbesondere über den Charakter eines Menschen – bilden konnte. Es hieß, er habe seine Ehefrau, die ihm so lange bei seinem menschenfreundlichen Tun zur Seite gestanden hatte, aus einem ganzen Regiment von Frauen ausgesucht, die bei irgendeinem offiziellen Anlaß in Uniform an ihm vorbeimarschiert seien – manche sagten, es habe sich um Pfadfinderinnen, andere, es habe sich um Polizistinnen gehandelt. Und auch diese Geschichte erzählte man sich: Eines Tages hätten ihn drei Landstreicher aufgesucht, alle drei gleich zerlumpt, verwahrlost und verdreckt und daher nicht voneinander zu unterscheiden, und ihn um eine milde Gabe gebeten. Ohne einen Augenblick zu zögern, habe er den einen in ein bestimmtes Krankenhaus geschickt, in dem man sich auf die Behandlung gewisser Nervenleiden spezialisiert hatte, den zweiten an ein Heim für Trunksüchtige empfohlen und den dritten mit einem schönen Gehalt als seinen Diener eingestellt – ein Posten, den dieser Mann viele Jahre erfolgreich bekleidete. Natürlich gab es die unvermeidlichen Anekdoten über seine stets bereite Kritik und seine schlagfertigen Antworten bei Begegnungen mit Roosevelt, Henry Ford, Mrs. Asquith und all den anderen Persönlichkeiten, mit denen ein im Licht der Öffentlichkeit stehender amerikanischer Bürger ein historisches Gespräch führen muß, und sei es auch nur in der Zeitung. Daß er sich von diesen Herrschaften nicht einschüchtern ließ, stand fest, und auch jetzt fuhr er ungerührt fort, mit seinen Papieren herumzuwirbeln, obwohl ihm eine Persönlichkeit von fast ebenso großer Bedeutung gegenübersaß.

Silas T. Vandam, Millionär und Ölmagnat, war ein hagerer Mensch mit langgezogenem, gelbem Gesicht und blauschwarzem Haar. Diese Farbkombination fiel im Augenblick weniger auf, wirkte aber gerade deshalb vielleicht um so unheimlicher, weil sein Gesicht und seine Gestalt sich dunkel vor dem Fenster und der weißen Brandmauer abhoben. Er trug einen eleganten Überzieher mit Astrachanbesatz, der bis oben zugeknöpft war. Auf das lebhafte Gesicht und die strahlenden Augen Wynds hingegen fiel voll das Licht aus dem anderen Fenster, das auf den kleinen Garten hinausging und vor dem sein Schreibtisch stand. Das Gesicht wirkte zwar nachdenklich, aber nicht übertrieben beeindruckt wegen des Millionärs. Wynds Diener, ein großer, kräftiger Mann mit glatt anliegendem, hellem Haar, stand hinter dem Schreibtisch seines Herrn und hielt einen Stapel Briefe in der Hand. Wynds Privatsekretär, ein adretter junger Mann mit scharfen Zügen und rotem Haar, hatte die Hand bereits auf der Türklinke, als errate er die Absicht oder gehorche einem Wink seines Chefs. Das Zimmer war nicht so sehr ordentlich als kahl, um nicht zu sagen fast leer, denn Wynd hatte, gründlich, wie er war, das ganze darüberliegende Stockwerk dazugemietet und zu einem Lager oder Abstellraum gemacht, in dem seine Papiere und Besitztümer in Kisten und verschnürten Ballen aufbewahrt wurden.

»Geben Sie die dem Bürovorsteher, Wilson«, sagte Wynd zu dem Diener mit den Briefen. »Und dann holen Sie mir das Pamphlet gegen die Nachtklubs in Minneapolis, sie sind in dem Bündel unter G. Ich brauche es in einer halben Stunde, bis dahin möchte ich nicht gestört werden. Tja, Mr. Vandam, Ihr Vorschlag klingt recht vielversprechend, aber eine endgültige Antwort kann ich Ihnen erst geben, wenn ich den Bericht gelesen habe. Er müßte morgen nachmittag bei mir eintreffen, dann rufe ich Sie sofort an. Tut mir leid, daß ich Ihnen im Augenblick nichts Bestimmtes sagen kann.«

Mr. Vandam begriff offenbar, daß er auf höfliche Art verabschiedet worden war, und seinem fahlen, verschlossenen Gesicht war anzusehen, daß er dies als einigermaßen seltsam empfand.

»Ja, dann muß ich wohl gehen«, sagte er.

»Vielen Dank für Ihren Besuch, Mr. Vandam«, sagte Wynd höflich. »Sie sind mir doch nicht böse, wenn ich Sie nicht hinausbegleite? Ich habe hier etwas Dringendes zu erledigen. Fenner«, wandte er sich an den Sekretär, »bringen Sie Mr. Vandam zu seinem Wagen und melden Sie sich in einer halben Stunde wieder. Ich muß allein etwas durcharbeiten, danach brauche ich Sie noch.«

Die drei Männer gingen zusammen auf den Gang hinaus und schlossen die Tür hinter sich. Wilson, der hochgewachsene Diener, ging den Gang hinab zum Zimmer des Bürovorstehers, die anderen beiden in die entgegengesetzte Richtung, zum Aufzug, denn Wynds Suite war im 14. Stock. Sie waren kaum einen Meter gegangen, als sich ihnen eine imposante, ja majestätische Gestalt näherte. Der Mann war sehr groß und breitschultrig, was um so mehr auffiel, als er weiß gekleidet war – oder in einem hellen Grau, das wie Weiß wirkte –, einen weißen Panamahut und einen fast ebenso breiten Heiligenschein von weißem Haar trug. Das von dieser Aureole umrahmte Gesicht war stark und schön wie das eines römischen Kaisers, bis auf einen knabenhaften, fast ein wenig kindischen Zug, der sich besonders in dem Leuchten seiner Augen und einem beseligten Lächeln zeigte.

»Mr. Warren Wynd da?« fragte er in herzlichem Ton.

»Mr. Warren Wynd ist beschäftigt«, sagte Fenner, »er darf auf keinen Fall gestört werden. Ich bin sein Sekretär und kann ihm gern etwas ausrichten.«

»Mr. Warren Wynd ist auch für den Papst und für gekrönte Häupter nicht zu sprechen«, sagte Vandam, der Ölmagnat, säuerlich. »Mr. Warren Wynd ist verflixt eigen. Ich war bei ihm, um ihm unter gewissen Bedingungen zwanzigtausend Dollar zu übergeben, und er hat gesagt, ich soll nochmal vorbeikommen, als ob ich ein Botenjunge wäre.«

»Es ist etwas Schönes, ein Junge zu sein«, sagte der Unbekannte, »und noch schöner ist es, eine Botschaft zu überbringen, und ich bringe eine Botschaft, die er sich einfach anhören muß. Eine Botschaft aus dem großen, guten Land im Westen, wo der wahre Amerikaner heranwächst, während ihr alle schnarcht. Sagen Sie ihm nur, daß Art Alboin aus Oklahoma City hergekommen ist, um ihn zu bekehren.«

»Ich sage Ihnen doch, daß er jetzt für niemanden zu sprechen ist«, entgegnete der rothaarige Sekretär scharf. »Er hat Anweisung gegeben, daß er eine halbe Stunde lang nicht gestört werden will.«

»Ihr Leute aus dem Osten laßt euch nicht gern stören, wie?« meinte der dynamische Alboin. »Aber ich sage euch, im Westen zieht ein Sturm herauf, der euch alle aufstören wird. Der da drin rechnet sich aus, wieviel Geld an diese oder jene verstaubte alte Religion gehen soll, aber ich sage euch, jeder Plan, der die Bewegung des Großen Geistes in Texas und Oklahoma links liegenläßt, läßt die Religion der Zukunft links liegen.«

»Ach, gehen Sie mir doch mit Ihren Religionen der Zukunft«, sagte der Millionär verächtlich. »Mit einem Staubkamm habe ich sie durchgekämmt, und sie sind so räudig wie gelbe Hunde. Da war diese Frau, die sich Sophia nannte. Hätte sich lieber Sapphira nennen sollen. Nichts als plumper Schwindel – Fäden an all ihren Tischen und Tamburinen. Diese Typen vom Unsichtbaren Leben behaupteten, nach Belieben verschwinden zu können. Tatsächlich sind sie dann verschwunden, und hunderttausend Dollar von mir gleich mit. In Denver habe ich einen Jupiter Jesus gekannt, wochenlang habe ich ihn unter die Lupe genommen. Ein ganz gewöhnlicher Gauner war das. Der Prophet aus Patagonien stammte übrigens aus derselben Kiste. Wetten, daß er inzwischen nach Patagonien getürmt ist? Nein, mit all dem bin ich fertig, von jetzt an glaube ich nur, was ich sehe. Atheismus nennt man das wohl.«

»Nein, da haben Sie mich falsch verstanden«, sagte der Mann aus Oklahoma fast ungeduldig. »Ich möchte annehmen, daß ich ebenso atheistisch bin wie Sie. In unserer Bewegung finden Sie nichts von diesem übersinnlichen oder abergläubischen Zeug, nur die reine Wissenschaft. Die einzige wahre Wissenschaft ist die Lehre von der Gesundheit, und die einzig wahre Gesundheit beruht auf dem Atmen. Füllt eure Lungen mit der freien Luft der Prärie, und ihr könnt all eure alten Städte im Osten ins Meer pusten. Eure größten Männer könnt ihr wegblasen wie Federflaum. Und das eben machen wir in unserer Bewegung. Wir atmen. Wir beten nicht, wir atmen.«

»Ja, das müssen Sie wohl«, sagte der Sekretär müde. Er hatte ein waches, intelligentes Gesicht, das die Erschöpfung kaum verhehlen konnte. Dennoch hatte er sich die beiden Monologe mit der bewundernswerten Geduld und Höflichkeit angehört, mit denen man sich solche Monologe in Amerika anhört und die Behauptungen von dort angeblich herrschender Ungeduld und Anmaßung Lügen straft.

»Nichts Übersinnliches«, fuhr Alboin fort. »Einfach das erhabene, natürliche Faktum hinter all dem übernatürlichen Klimbim. Wozu brauchten die Juden einen Gott? Doch bloß, damit der dem Menschen den Lebensodem einbläst. Das besorgen wir in Oklahoma selber. Was bedeutet denn Spiritus, der Geist? Es ist einfach das griechische Wort für Atemübungen. Leben, Fortschritt, Prophezeiungen – alles beruht auf dem Atem.«

»Man könnte das wohl auch bloß Wind nennen«, meinte Vandam. »Jedenfalls freue ich mich, daß Sie ebenfalls mit dieser geistlichen Masche Schluß gemacht haben.«

Über das scharfe Gesicht des Sekretärs, das unter dem roten Haar ziemlich blaß wirkte, ging eine seltsame Bewegung, die geheime Bitterkeit verriet.

»Ich nicht«, sagte er. »Sie scheinen Spaß am Atheismus zu haben, Sie glauben also vielleicht nur, was Sie gern glauben mögen. Aber ich wünschte zu Gott, es gäbe einen Gott, und es gibt keinen. Mein Pech.«

Ohne daß man einen Laut oder auch nur eine Bewegung wahrgenommen hätte, wurden sie sich in diesem Moment auf fast unheimliche Weise der Tatsache bewußt, daß aus der Dreiergruppe vor Wynds Tür eine Vierergruppe geworden war. Wie lange der vierte Mann schon dort stand, hätte keiner der so eifrig Disputierenden zu sagen gewußt. Jedenfalls schien er respektvoll, fast ein wenig schüchtern auf die Gelegenheit zu warten, etwas Dringendes vorzubringen. Ihren überreizten Nerven kam es so vor, als sei er unvermittelt und geräuschlos aus dem Boden gewachsen wie ein Pilz. Und einem großen schwarzen Pilz sah er auch ähnlich, denn er war sehr klein, und die gedrungene Gestalt wurde von dem großen, schwarzen Priesterhut völlig beschattet. Die Ähnlichkeit wäre noch vollkommener gewesen, hätten Pilze die Gewohnheit, abgenutzte und unförmige Regenschirme bei sich zu tragen.

Fenner, den Sekretär, berührte es ganz eigenartig, daß sich die Gestalt als Geistlicher entpuppte. Doch als dieser das runde Gesicht unter dem runden Hut hob und unschuldig nach Mr. Warren Wynd fragte, gab er den üblichen abschlägigen Bescheid, womöglich noch schroffer als zuvor. Der Priester ließ sich nicht abschrecken.

»Ich möchte Mr. Wynd wirklich gern sehen. Es mag merkwürdig klingen, aber ich möchte ihn gar nicht sprechen, nur sehen. Ich möchte nur sehen, ob er da ist, ob man ihn sehen kann.«

»Ich versichere Ihnen, daß er da ist, sich aber nicht sehen läßt«, erwiderte Fenner gereizt. »Was soll das überhaupt heißen – Sie wollen sehen, ob man ihn sehen kann? Natürlich ist er da, wir haben ihn alle vor fünf Minuten erst verlassen und stehen seither hier draußen vor der Tür.«

»Ich will nur sehen, ob es ihm gutgeht.«

»Und warum?« fragte der leidgeprüfte Sekretär.

»Weil ich gewichtige, ja, in der Tat äußerst schwergewichtige Gründe habe«, erklärte der Geistliche ernst, »an seinem Wohlergehen zu zweifeln.«

»Allmächtiger«, stieß Vandam wütend hervor. »Schon wieder ein neuer Aberglaube.«

»Ich muß Ihnen wohl meine Gründe nennen«, sagte der kleine Geistliche. »Ich merke schon, Sie werden mich nicht einmal durch einen Türspalt sehen lassen, bis ich Ihnen die ganze Geschichte erzählt habe.«

Er schwieg einen Augenblick nachdenklich, dann fuhr er fort, ohne die erstaunten Gesichter der Umstehenden zu beachten: »Ich ging draußen die Kolonnaden entlang, als ich einen zerlumpten Mann sah, der von der Ecke her die Straße hinunterrannte, und es zeigte sich, daß mir die große, grobknochige Gestalt und das Gesicht bekannt waren. Es war ein ungestümer Ire, dem ich einmal unter die Arme gegriffen hatte – den Namen werde ich nicht nennen. Als er mich sah, wankte er, rief mich beim Namen und sagte: ›Himmlischer Vater, es ist Pater Brown. Sie sind der einzige Mensch, dessen Gesicht mir heute Angst einjagen könnte.‹ Da war mir klar, daß er irgend etwas angestellt hatte, und ich glaube nicht einmal, daß ihm mein Gesicht große Angst eingejagt hat, denn bald erzählte er mir die ganze Geschichte, die nun allerdings eine höchst eigenartige ist. Er fragte mich, ob ich Warren Wynd kenne, und ich erwiderte nein, doch sei mir bekannt, daß er in einem der oberen Stockwerke dieses Hauses eine Suite habe. Er erklärte darauf: ›Das ist ein Mann, der sich für einen Heiligen Gottes hält. Aber wenn er wüßte, was ich über ihn zu sagen habe, würde er sich aufknüpfen.‹ Und er wiederholte hysterisch ein paarmal: ›Jawohl, aufknüpfen würde er sich.‹ Ich fragte ihn, ob er Wynd etwas angetan habe, und seine Antwort war recht sonderbar. Er sagte: ›Ich habe eine Pistole genommen und sie nicht mit Schrot und Blei geladen, sondern nur mit einem Fluch.‹ Soweit ich aus seinen Reden schlau werden konnte, war er in den kleinen Durchgang zwischen diesem Gebäude und dem großen Lagerhaus gegangen, eine alte Pistole mit einer Platzpatrone in der Hand, die er gegen die Wand abgefeuert hatte, als wolle er damit das Haus zum Einsturz bringen. ›Aber dabei‹, berichtete er, ›habe ich ihn mit einem schrecklichen Fluch belegt. Die Gerechtigkeit Gottes sollte ihn am Schopf und die Rache der Hölle an den Füßen fassen, und wie Judas sollte er auseinandergerissen werden, auf daß die Erde ihn nicht mehr kenne.‹ Was ich noch zu dem armen Verblendeten gesagt habe, gehört nicht hierher. Er ging ein wenig ruhiger fort, und ich begab mich nach hinten, um mir die Sache einmal anzusehen. Und tatsächlich, in dem kleinen Durchgang lag am Fuß der Hauswand eine rostige, altertümliche Pistole. Soviel verstehe ich von Waffen, daß ich sah: Die Ladung hatte nur aus ein wenig Pulver bestanden. An der Wand sah man die schwarzen Rauch- und Pulverspuren, aber keine Delle von einer Kugel. Er hatte keinerlei Spuren von Zerstörung, ja überhaupt keine Spuren hinterlassen, abgesehen von den schwarzen Malen und dem schwarzen Fluch, den er gen Himmel schleuderte. Und deshalb bin ich hergekommen, um nach diesem Warren Wynd zu fragen und festzustellen, ob es ihm gutgeht.«

Der Sekretär lachte. »Da kann ich Sie beruhigen. Ich kann Ihnen versichern, daß er ganz wohl ist. Vor ein paar Minuten, als wir ihn verließen, saß er am Tisch und schrieb. Er war allein in der Suite. Sie ist dreißig Fuß über der Straße und so gelegen, daß kein Schuß ihn erreicht hätte, selbst wenn Ihr Freund keine Platzpatronen genommen hätte. Außer dieser Tür gibt es keinen Zugang zu seinen Räumlichkeiten, und wir stehen schon die ganze Zeit hier.«

»Trotzdem«, sagte Pater Brown ernst, »würde ich mich gern durch eigenen Augenschein überzeugen.«

»Das geht nicht«, erwiderte der Sekretär. »Sie wollen mir doch um Himmels willen nicht erzählen, daß Sie diesen Fluch ernst nehmen?«

»Sie vergessen«, sagte der Millionär mit höhnischem Lächeln, »daß Segnungen und Flüche Hochwürdens Geschäft sind. Wenn ihn ein Fluch in die Hölle geschickt hat, Pater, warum holen Sie ihn dann nicht durch einen Segen wieder zurück? Was nützt Ihnen Ihr schöner Segen, wenn er gegen den Fluch eines irischen Rauhbeins nichts ausrichtet?«

»Ja, glaubt denn überhaupt jemand heute noch an so was?« wunderte sich der Mann aus dem Westen.

»Pater Brown glaubt an alles mögliche in dieser Preislage, möchte ich meinen«, sagte Vandam, dessen Laune zugleich unter der schroffen Abfertigung von vorhin und dem gegenwärtigen Disput litt. »Pater Brown glaubt, daß es ein Eremit fertiggebracht hat, auf einem Krokodil, das aus dem Nichts hervorgezaubert wurde, einen Fluß zu überqueren, daß er dann dem Krokodil befohlen hat zu sterben, was es auch prompt tat. Pater Brown glaubt, daß der eine oder andere verdamm – äh – verewigte Heilige seine Leiche verdreifacht hat, damit sich drei Gemeinden darin teilen und miteinander um die Ehre streiten konnten, seine Geburtsstadt zu sein, Pater Brown glaubt an den Heiligen, der seine Robe an einen Sonnenstrahl hängte und an den, der die seine als Boot für eine Atlantiküberquerung benutzt hat. Pater Brown glaubt, daß der heilige Esel sechs Beine hatte und das Haus von Loretto durch die Luft geflogen ist. Er glaubt an Hunderte von steinernen Jungfrauen, die den lieben langen Tag nicken und weinen. Da dürfte es ihm nicht schwerfallen, an einen Mann zu glauben, der durch ein Schlüsselloch das Weite sucht oder aus einem verschlossenen Raum verschwindet. Ich schätze, er legt keinen gesteigerten Wert auf Naturgesetze.«

»Wohingegen ich auf die Gesetze von Warren Wynd den allergrößten Wert zu legen habe«, erklärte der Sekretär müde. »Und wenn er sagt, er will nicht gestört werden, dann hat man ihn nicht zu stören, das ist ehernes Gesetz. Wilson wird Ihnen das bestätigen können.« Der hochaufgeschossene Diener, der nach dem Pamphlet geschickt worden war, kam in diesem Moment gelassen den Gang entlang, das Pamphlet in der Hand, ging aber seelenruhig an der Tür vorbei.

»Er wird sich jetzt dort auf die Bank beim Bürovorsteher setzen und Däumchen drehen, bis er gebraucht wird, und er wird sich hüten, vorher das Zimmer zu betreten, und so werde ich es auch halten. Wir wissen nämlich beide, wo wir unseren Vorteil haben, und damit wir das vergessen, müßte Pater Brown schon etliche seiner Heiligen und Engel aufmarschieren lassen.«

»Was die Heiligen und die Engel betrifft –«, setzte der Priester an.

»Alles Unsinn«, wiederholte Fenner. »Ich will Sie ja nicht kränken, aber so was paßt vielleicht in Krypten und Klöster und Gruselkabinette dieser Art. Aber durch eine geschlossene Tür in einem amerikanischen Hotel kommt kein Gespenst.«

»Aber selbst in einem amerikanischen Hotel vermögen Menschen eine Tür zu öffnen. Und das, will mir scheinen, wäre in diesem Fall das Einfachste.«

»So einfach, daß es mich meine Stellung kosten könnte«, entgegnete der Sekretär, »und Sekretäre, die auf solche Märchen hereinfallen, liebt Warren Wynd nämlich gar nicht.«

»Es stimmt schon«, erwiderte der Priester ernst, »daß ich an viele Dinge glaube, an die Sie vermutlich nicht glauben. Aber es würde geraume Zeit dauern, Ihnen all das zu erläutern, woran ich glaube, und alle Gründe aufzuführen, die meiner Meinung nach beweisen, daß ich Recht habe. Es würde zwei Sekunden dauern, diese Tür zu öffnen und zu beweisen, daß ich Unrecht habe.«

Etwas an diesem Satz schien den ungebärdigen, unsteten Geist des Mannes aus dem Westen anzusprechen.

»Ich würde Ihnen verteufelt gern beweisen, daß Sie Unrecht haben«, sagte Alboin und ging rasch an den anderen vorbei. »Und das mache ich jetzt auch.«

Er öffnete die Tür der Suite weit und sah hinein. Der erste Blick zeigte, daß Warren Wynds Sessel leer war, der zweite, daß auch das Zimmer leer war.

Fenner war wie elektrisiert. Er stürzte an den anderen vorbei in die Suite.

»Er ist im Schlafzimmer«, sagte er knapp. »Das liegt doch auf der Hand.«

Während er im Nebenzimmer verschwand, standen die anderen da und starrten das leere Zimmer an. Die strenge Kargheit der Einrichtung, von der bereits die Rede war, wirkte auf sie wie eine Herausforderung. In diesem Raum konnte sich keine Maus, geschweige denn ein Mensch verstecken, soviel war sicher. Er hatte keine Vorhänge und – was in Amerika selten ist – keine Einbauschränke. Selbst das Schreibpult war nur ein einfacher Tisch mit einer flachen Schublade und einer schräg gestellten Platte. Die Stühle waren harte, hochlehnige Gerippe. Gleich darauf erschien der Sekretär an der inneren Tür, nachdem er die beiden anderen Räume durchsucht hatte. Eine fassungslose Leere stand in seinem Blick, seine Mundbewegungen vollzogen sich mechanisch und völlig unabhängig von seinem Gesichtsausdruck. »Hier ist er nicht durchgekommen?« fragte er scharf.

Die anderen schienen es nicht einmal für nötig zu halten, diese Verneinung abermals zu verneinen. Ihr Verstand war vor einem Hindernis angekommen, das ebenso undurchdringlich war wie die kahle Wand des Lagerhauses, die zum anderen Fenster hineinschaute und sich langsam von Weiß zu Grau verfärbte, da mit dem sinkenden Nachmittag die Dämmerung hereinbrach. Vandam ging zum Fensterbrett, an dem er vor einer halben Stunde gelehnt hatte, und sah aus dem offenen Fenster. Es waren weder Rohre noch eine Feuerleiter vorhanden, kein Gesims oder Vorsprung, das Gebäude fiel senkrecht zur Straße ab, und auch nach oben hin konnte man an der Mauer, die sich noch viele Stockwerke über ihnen erhob, nichts dergleichen erblicken. Auf der anderen Straßenseite war noch weniger zu sehen – nichts als die ermüdende Fläche der weiß getünchten Mauer. Er schaute nach unten, als erwarte er, den verschwundenen Philanthropen als zerschmetterten Selbstmörder in dem kleinen Durchgang liegen zu sehen. Er sah aber nichts als einen kleinen dunklen Gegenstand, der – wiewohl durch die Entfernung verkleinert –

durchaus die Pistole hätte sein können, die der Priester dort gefunden hatte. Indessen war Fenner zum anderen Fenster gegangen, das in einer ebenso glatten, unzugänglichen Wand lag, aber nicht auf den Durchgang, sondern auf die kleine Anlage hinausging. Hier störte zwar eine Baumgruppe die Sicht auf den Boden, die Bäume reichten aber nur ein kurzes Stück an der riesigen, von Menschenhand errichteten Klippe hinauf. Beide wandten sich ins Zimmer zurück und sahen sich an. Die Dämmerung wurde immer tiefer, und der letzte Schimmer von Tageslicht auf den glänzenden Flächen von Tisch und Pult verblich rasch zu trübem Grau. Als ginge ihm selbst das Zwielicht auf die Nerven, griff Fenner zum Lichtschalter, und jäh war der Ort der Handlung in die erschreckende Klarheit der elektrischen Beleuchtung getaucht.

»Wie Sie eben sagten«, meinte Vandam grimmig, »hätte ihn von da unten kein Schuß erreichen können, nicht mal, wenn eine Patrone in der Waffe gewesen wäre. Aber selbst wenn eine Kugel ihn getroffen hätte, wäre er nicht einfach geplatzt wie eine Seifenblase.«

Der Sekretär, der womöglich noch blasser geworden war, blickte gereizt auf das krankhaft gelbe Gesicht des Millionärs.

»Wie kommen Sie denn auf derart morbide Gedanken? Wer redet von Kugeln und Seifenblasen? Warum sollte er denn nicht am Leben sein?«

»Eben, warum nicht?« meinte Vandam ungerührt. »Wenn Sie mir verraten, wo er ist, verrate ich Ihnen, wie er hingekommen ist.«

Nach einer Pause brummelte der Sekretär mürrisch: »Ja, Sie haben wohl recht, nun haben wir es genau mit der Sache zu tun, von der wir vorhin gesprochen haben. Es wäre in der Tat merkwürdig, wenn Sie und ich zu der Überzeugung kommen müßten, an einem Fluch sei doch etwas dran. Aber wer hätte Wynd hier oben etwas anhaben können?«

Mr. Alboin aus Oklahoma stand breitbeinig mitten im Zimmer, und sein weißhaariger Heiligenschein wie auch seine runden Augen strahlten Verwunderung aus. Jetzt sagte er zerstreut und mit der beiläufigen Unverfrorenheit des Enfant terrible:

»Sie konnten ihn nicht recht leiden, stimmt's, Mr. Vandam?«

Vandams langes, gelbes Gesicht schien noch länger und gleichzeitig noch finsterer zu werden, doch er lächelte und entgegnete ruhig:

»Da schon von Zufällen die Rede ist – wenn ich nicht irre, waren Sie es, der gesagt hat, ein Wind aus dem Westen würde unsere großen Männer wegpusten wie Feder-flaum.«

»Ja, gesagt habe ich das«, gab der Mann aus dem Westen unumwunden zu. »Aber wie zum Teufel hätte er das an-stellen sollen?«

In die Stille hinein bemerkte Fenner so unvermittelt, daß es fast brutal klang:

»Zu der ganzen Sache läßt sich nur eins sagen: Sie ist einfach nicht passiert. Sie kann nicht passiert sein.«

»O doch«, ließ sich Pater Brown aus einer Ecke verneh-men. »Sie ist sehr wohl passiert.«

Sie fuhren alle zusammen, denn sie hatten sämtlich den unscheinbaren kleinen Geistlichen vergessen, der sie ver-anlaßt hatte, die Tür zu öffnen. Mit der Erinnerung ging ein jäher Stimmungsumschwung einher. Plötzlich fiel ih-nen wieder ein, daß sie ihn als abergläubischen Träumer abgetan hatten, weil er eben das angedeutet hatte, was jetzt vor ihren Augen geschehen war.

»Donnerwetter noch mal«, stieß der ungestüme Mann aus dem Westen hervor, als ginge der Zorn mit ihm durch. »Wenn nun an der Geschichte doch was dran ist...«

Fenner blickte stirnrunzelnd auf den Tisch hinunter. »Ich muß zugeben, daß die Annahme von Hochwürden offen-bar wohlbegründet war. Ich weiß nicht, ob er uns sonst noch etwas zu sagen hat.«

»Er könnte uns möglicherweise sagen«, bemerkte Vandam sarkastisch, »was zum Teufel wir jetzt tun sollen.«

Der kleine Priester schien bescheiden, aber wie selbstverständlich die Verantwortung zu übernehmen. »Mir fällt auch nichts anderes ein, als daß man zunächst die Verwaltung verständigen und dann feststellen sollte, ob es weitere Spuren meines Freundes mit der Pistole gibt. Er verschwand um die Ecke, bei dem kleinen Park. Dort gibt es Sitzgelegenheiten, wo sich gern Landstreicher aufhalten.«

Die direkten Beratungen mit der Hotelleitung nahmen geraume Zeit in Anspruch, die wiederum zu indirekten Beratungen mit der Polizei führten, und es war schon fast Nacht, als sie den langen, klassizistischen Bogen der Kolonnaden betraten. Die Straße sah so kalt und leer aus wie der Mond, nach dem sie benannt war, und der Mond selbst erhob sich leuchtend, aber geisterhaft hinter den schwarzen Baumwipfeln, als sie an der kleinen öffentlichen Anlage um die Ecke bogen. Die Nacht verhüllte das meiste von dem, was städtisch und artifiziell daran war. Und als sie im Schatten der Bäume untertauchten, beschlich sie das seltsame Gefühl, als seien sie plötzlich viele hundert Meilen fern von daheim. Nachdem sie eine Weile schweigend nebeneinander hergegangen waren, brach es aus Alboin heraus, der in der Tat etwas Elementares an sich hatte.

»Ich geb's auf, ich streiche die Segel. Hätte nie gedacht, daß mir mal so was passiert. Aber irren ist menschlich, sage ich immer. Verzeihen Sie, Pater Brown, aber ich glaube, jetzt bin ich soweit, um Ihr Märchen zu schlucken. Nach dieser Geschichte kauf ich mir schnellstens ein Märchenbuch. Und Sie, Mr. Vandam, Sie haben selber gesagt, daß Sie Atheist sind und nur glauben, was Sie sehen. Na, und was haben Sie gesehen? Oder vielmehr – was haben Sie nicht gesehen?«

»Schon gut.« Vandam nickte betrübt.

»Ach, zum Teil sind es nur der Mond und die Bäume, die uns auf die Nerven gehen«, meinte Fenner eigensinnig. »Bäume sehen im Mondschein immer so sonderbar aus, wenn sie ihre Zweige in alle Richtungen strecken. Da, sehen Sie mal...«

»Ja.« Pater Brown blieb stehen und sah durch das Astgewirr zum Mond empor. »Das da oben ist ein sehr sonderbarer Ast.«

Und dann sagte er nur noch:»Ich dachte, es sei ein abgebrochener Ast.«

Doch diesmal war ein Klang in seiner Stimme, bei dem es seine Zuhörer merkwürdig kalt überlief. Da oben hing tatsächlich etwas, das wie ein toter Ast aussah, schlaff von dem Baum herab, der sich schwarz gegen den Mond abhob. Aber es war kein toter Ast. Als sie herangekommen waren, fuhr Fenner mit einem lauten Fluch zurück. Dann lief er noch näher heran und löste einen Strick von dem Hals eines schmächtigen kleinen Körpers mit hängenden grauen Haarsträhnen. Irgendwie wußte er, daß der Mann tot war, noch ehe er es geschafft hatte, ihn abzunehmen. Ein langer Strick war fest um die Zweige gewickelt, und ein relativ kurzes Stück verband die Astgabeln mit dem Körper. Ein großer Gartenkübel war etwa einen Meter unter seinen Füßen weggerollt, wie der Schemel, den ein Selbstmörder mit dem Fuß wegstößt.

»Mein Gott«, sagte Alboin, und es klang halb wie ein Gebet und halb wie ein Fluch. »Was hat dieser Mann doch gleich von ihm gesagt. Wenn er es wüßte, würde er sich aufknüpfen. Nicht wahr, so hat er es gesagt, Pater Brown?«

»Ja«, erwiderte der Geistliche.

»Also, daß ich so was jemals erleben würde, hätte ich mir nicht träumen lassen«, sagte Vandam mit hohler Stimme. »Aber man kann es drehen und wenden, wie man will, der Fluch hat gewirkt, daran ist nicht zu tippen.«

Fenner hatte die Hände vors Gesicht geschlagen, und der Priester legte ihm eine Hand auf den Arm und meinte gütig:

»Hatten Sie ihn so gern?«

Der Sekretär nahm die Hände vom Gesicht, das im Mondschein geisterhaft blaß aussah.

»Ich habe ihn gehaßt wie die Pest«, sagte er, »und wenn er durch einen Fluch gestorben ist, könnte es ebensogut der meine gewesen sein.«

Der Priester drückte seinen Arm und sagte tiefernst:
»Bitte trösten Sie sich. Nicht Ihr Fluch hat ihn getötet.«

Die Bezirkspolizei hatte erhebliche Schwierigkeiten bei
der Vernehmung der vier Zeugen, die in den Fall verwik-
kelt waren. Alle waren im üblichen Sinne wohlanständige
und zuverlässige Zeitgenossen, einer – Silas Vandam, der
Ölmagnat – war sogar eine Persönlichkeit, die über beträchtliche Macht und großen Einfluß verfügte. Der erste
Polizeibeamte, der es wagte, eine gewisse Skepsis angesichts seiner Aussge laut werden zu lassen, rieb sich sogleich an dem stählernen Willen des Industriekapitäns.
»An die Fakten soll ich mich halten, wie?« sagte der Millionär mit einiger Schärfe. »Gehen Sie mir bloß weg mit
Ihrem Gerede. Ich habe mich schon an die Fakten gehalten, da waren Sie noch gar nicht auf der Welt, und ein paar
Fakten haben sich an mich gehalten. Keine Angst, von mir
kriegen Sie schon die Fakten, wenn Sie genug Verstand
haben, sich alles richtig zu notieren.«
Der Beamte war jung und in untergeordneter Stellung und
hatte das dunkle Gefühl, daß der Millionär zu sehr eine
politische Figur war, als daß man ihn als gewöhnlichen
Bürger behandeln durfte. Er reichte ihn und seine Begleiter
deshalb an seinen weniger sensiblen Vorgesetzten weiter,
einen gewissen Inspektor Collins. Das war ein angegrauter
Polizist mit einer grimmig gemessenen Art zu reden, der
man entnehmen konnte, daß er entgegenkommend war,
aber keine Flausen dulden würde.
Er betrachtete die drei Herren, die vor ihm standen, au-
genzwinkernd. »Na, das scheint mir ja eine komische Geschichte zu sein.«
Pater Brown war bereits wieder an seine täglichen Geschäfte gegangen, Silas Vandam aber hatte sogar sein gi-
gantisches Finanzimperium für eine Stunde sich selbst
überlassen, um über sein bemerkenswertes Erlebnis aus-
zusagen. Fenners Tätigkeit als Sekretär war gewissermaßen
mit dem Leben seines Arbeitgebers beendet, und den großen Art Alboin, der weder in New York noch sonstwo

andere Geschäfte hatte als die Verbreitung der Religion vom Großen Hauch oder dem Atem des Lebens, zog erst recht nichts von dem anliegenden Fall weg. Da standen sie also nebeneinander im Büro des Inspektors, bereit, sich wechselseitig in ihren Aussagen zu bestätigen.

»Damit wir ganz klarsehen«, begann der Inspektor munter, »will ich Ihnen nur gleich sagen, daß mit irgendwelchem geheimnisvollen Hokuspokus niemand bei mir landen kann. Ich bin ein Mann der Praxis und Kriminalbeamter, und solche Sachen taugen allenfalls für die Geistlichkeit. Dieser Priester, von dem Sie da erzählen, scheint Sie alle mit irgendeiner Geschichte von Tod und Gericht kopfscheu gemacht zu haben. Aber ich gedenke ihn und seine Religion draußen vor zu lassen. Wenn Wynd aus diesem Raum herausgekommen ist, hat jemand ihn rausgelassen. Und wenn Wynd an diesem Baum erhängt aufgefunden worden ist, hat ihn jemand dort hingehängt.«

»Schon recht«, sagte Fenner, »aber da aus unserer Aussage klar hervorgeht, daß niemand ihn rausgelassen hat, erhebt sich die Frage, wie jemand ihn dort hingehängt haben kann.«

»Na, wie bekommt wohl jemand die Nase ins Gesicht?« fragte der Inspektor zurück. »Er hatte eine Nase im Gesicht, und er hatte einen Strick um den Hals. Das sind Tatsachen. Und ich bin, wie gesagt, ein Mann der Praxis und halte mich an Tatsachen. Ein Wunder kann es nicht gewesen sein, also muß ein Mensch seine Hand im Spiel gehabt haben.«

Alboin hatte sich etwas im Hintergrund gehalten. Seine imposante Gestalt war wie geschaffen als Folie für die schmaleren, lebhafteren Männer vor ihm. Er hatte den weißen Kopf nachdenklich gesenkt, aber bei dem letzten Satz des Inspektors sah er auf, schüttelte seine Mähne wie ein Löwe und wirkte benommen, aber jedenfalls wach. Er machte einen Schritt nach vorn und trat in die Mitte der Gruppe. Alle hatten das unbestimmte Gefühl, als sei er noch gewaltiger geworden. Sie waren nur zu rasch bereit gewesen, ihn für einen Narren oder Scharlatan zu halten.

Aber er hatte nicht ganz Unrecht gehabt mit seiner Behauptung, er besitze eine besondere Lunge und Lebenskraft – wie ein eingesperrter Wind, der, einmal aus seinem Gefängnis befreit, eines Tages alles Leichtgewichtige hinwegweht.

»Sie sind also ein Mann der Praxis, Mr. Collins«, sagte er, und seine Stimme war sanft und gewichtig zugleich. »Sie erwähnen in unserem freundschaftlichen Gespräch schon zum zweiten oder dritten Mal, daß Sie ein Mann der Praxis sind, ich kann das also nicht mißverstanden haben. Nun ist das sicher überaus interessant für jemanden, der beabsichtigt, ein Buch über Ihr Leben, Ihre Briefe und Ihre Tischgespräche zu schreiben, ein Buch mit einem Porträt des Helden im Alter von fünf Jahren, einer Daguerreotypie der Frau Großmama und Ansichten der lieben Vaterstadt. Und bestimmt wird Ihr Biograph nicht vergessen, diese Tatsache zu erwähnen – ebenso wie er vermerken wird, daß Sie eine Knollennase mit einem Pickel drauf hatten und fast zu fett zum Laufen waren. Und da Sie ein Mann der Praxis sind, möchten Sie vielleicht am liebsten Ihre praktischen Fähigkeiten weiter ausprobieren, bis Sie Warren Wynd wieder zum Leben erweckt und herausgefunden haben, wie ein Mann der Praxis durch eine massive Holztür schlüpfen kann. Aber ich glaube, Sie haben da was in die falsche Kehle gekriegt. Sie sind nicht ein Mann der Praxis, Sie sind ein Witz auf Raten, jawohl. Der liebe Gott hat sich einen kleinen Scherz mit uns erlaubt, als er Sie erdacht hat.«

Mit typischem Gespür für den dramatischen Effekt war er zur Tür stolziert, ehe der verblüffte Inspektor sich zu einer Antwort aufraffen konnte, und nicht einmal die Vorhaltungen, die ihm später gemacht wurden, konnten ihm den Triumph ganz rauben.

»Da haben Sie mir aus der Seele gesprochen«, sagte Fenner. »Wenn so die Männer der Praxis aussehen, lobe ich mir den Priester.«

Ein neuer Anlauf wurde unternommen, zu einer amtlichen Fassung des Sachverhalts zu kommen, sobald den Behörden hinlänglich klargeworden war, wer die Zeugen waren und welche Folgerungen sich aus ihrer Aussage ergaben. Schon war der Fall in sensationeller Aufmachung, bei der schamlos auf dem Aspekt des Übersinnlichen herumgeritten wurde, in die Presse geraten. Interviews mit Vandam über sein wundersames Abenteuer, Artikel über Pater Brown und seine mystischen Intuitionen ließen bald in denjenigen, die sich für die Information der Öffentlichkeit verantwortlich fühlten, den Wunsch erwachen, das Publikumsinteresse in geordnetere Bahnen zu lenken. So nahm man sich beim nächsten Versuch die unbequemen Zeugen eher indirekt und taktvoll vor. Man sagte ihnen ganz en passant, Professor Vair interessiere sich sehr für solche Erfahrungen mit dem Abnormen. Professor Vair war ein namhafter Psychologe, es war bekannt, daß er sich auf sehr nüchterne, distanzierte Weise auch für Kriminologie interessierte. Erst später wurde den Zeugen überhaupt klar, daß er mit der Polizei in Verbindung stand.

Professor Vair war ein höflicher, vornehmer Gentleman, diskret in Hellgrau gekleidet, mit Künstlerschleife und hellem Spitzbart. Auf Leute, die mit einem ganz speziellen Typ des Hochschullehrers nicht vertraut waren, machte er eher den Eindruck eines Landschaftsmalers. Er verbreitete nicht nur den Eindruck von Höflichkeit, sondern auch von Offenherzigkeit.

»Ja, ja«, lächelte er, »ich kann mir lebhaft vorstellen, was Sie durchgemacht haben. Die Polizei zeigt sich bei den Ermittlungen übersinnlicher Phänomene nicht gerade im besten Licht, wie? Natürlich hat der gute alte Collins wieder mal behauptet, daß ihn nur die Fakten interessieren. Was für ein absurder Irrtum. In einem Fall dieser Art wollen wir gerade nicht nur die Fakten haben. Viel wichtiger sind die Phantasievorstellungen.«

»Wollen Sie damit sagen, daß all das, was wir Fakten nennen, nur Phantasiegebilde waren?« fragte Vandam drohend.

»Ganz und gar nicht«, entgegnete der Professor. »Ich wollte damit nur sagen, daß die Polizei eine große Dummheit

begeht, wenn sie glaubt, das psychologische Element bei
diesen Dingen außer acht lassen zu können. Das psychologische Element ist im Gegenteil überall das A und O –
doch diese Erkenntnis setzt sich erst allmählich durch.
Nehmen wir zunächst das Element der sogenannten Persönlichkeit. Von diesem Pater Brown höre ich nicht zum
ersten Mal. Er ist einer der bemerkenswertesten Menschen
unserer Zeit. Menschen dieser Art sind von einer bestimmten Atmosphäre umgeben, und niemand vermag zu
sagen, inwieweit seine Nerven, ja, seine Sinne von dieser
Atmosphäre beeinflußt wurden. Die Leute sind hypnotisiert, jawohl, hypnotisiert. Denn die Hypnose ist wie alles
andere eine Frage der Abstufung. Spuren davon finden
wir in jedem alltäglichen Gespräch, sie ist nicht unbedingt
Sache eines befrackten Individuums auf einer Bühne in
einem öffentlichen Saal. Pater Browns Religion versteht
sich von jeher auf die Psychologie der Atmosphäre und
weiß, wie man es anstellt, alle Sinne gleichzeitig anzusprechen, beispielsweise auch den Geruchssinn. Sie hat Erfahrungen mit den eigenartigen Wirkungen, die Musik bei
Mensch und Tier hervorruft, sie kann –«
»Jetzt mal langsam«, protestierte Fenner. »Sie glauben
doch nicht, daß er mit einer Kirchenorgel unter dem Arm
über den Gang gelaufen ist?«
»So etwas hat Pater Brown gar nicht nötig«, lachte Professor Vair. »Er versteht sich darauf, die Essenz all dieser
spirituellen Klänge und Bilder und sogar Gerüche in einigen wenigen beherrschten Gesten zu konzentrieren. Es ist
dies eine hohe Kunst. Er bekäme es fertig, durch seine
bloße Gegenwart Ihren Sinn und Verstand so auf das
Übernatürliche zu lenken, daß das Natürliche unbemerkt
Ihrem Bewußtsein entglitte. Nun wissen Sie selbst«, fuhr
er mit einem beherzten Rückgriff auf den gesunden Menschenverstand fort, »daß die Frage der Beweiskraft von
Zeugenaussagen um so vertrackter wird, je länger wir uns
damit beschäftigen. Unter zwanzig Menschen gibt es nicht
einen, der wirklich beobachten kann. Unter hundert Menschen gibt es nicht einen, der wirklich präzise Beobach-

tungen anzustellen vermag, und ganz gewiß gibt es nicht einen unter den hundert, der zunächst beobachten, dann sich erinnern und schließlich beschreiben kann. Wieder und wieder sind wissenschaftliche Experimente durchgeführt worden, aus denen hervorgeht, daß Menschen in einer Ausnahmesituation eine Tür für geschlossen hielten, wenn sie offen war, oder für offen, wenn sie geschlossen war. Die Menschen sind verschiedener Meinung über die Anzahl von Türen oder Fenstern in einer Wand vor ihren Augen, sie erliegen bei hellichtem Tag optischen Täuschungen. Dergleichen geschieht auch ohne die hypnotische Wirkung des Phänomens Persönlichkeit. In diesem Fall aber haben wir eine sehr starke, überzeugende Persönlichkeit, die es darauf anlegte, Ihrem Sinn und Verstand nur ein Bild einzuprägen – das Bild des ungebärdigen irischen Rebellen, der eine Pistole gen Himmel hebt und diese sinnlose Salve abfeuert, deren Echo in himmlischem Donner nachhallt.«

»Ich könnte auf dem Totenbett beschwören, Professor«, rief Fenner aus, »daß die Tür sich nicht geöffnet hat.«

»Neuere Versuche«, fuhr der Professor seelenruhig fort, »lassen den Schluß zu, daß unser Bewußtsein nichts Kontinuierliches, sondern eine Abfolge schnell vorüberziehender Eindrücke ist – wie im Film. Es ist möglich, daß irgend jemand oder irgend etwas gewissermaßen zwischen den Szenen hinein- oder hinausschlüpfen kann. Das geschieht nur in dem Augenblick, da der Vorhang geschlossen ist. Sehr wahrscheinlich wären die Tricks der Zauberkünstler sowie Taschenspielerkunststücke aller Art nicht denkbar ohne diesen blinden Fleck zwischen den aufblitzenden festen Blickpunkten. Nun hat Ihnen Ihr Priester und Prediger transzendentaler Ideen ein transzendentales Bild vor Augen geführt, das Bild des Kelten nämlich, der wie ein Titan mit seinem Fluch den Turm erschüttert. Wahrscheinlich hat er das Bild mit irgendeiner fast unmerklichen, aber zwingenden Geste illustriert, mit der er Ihre Augen und Ihre Gedanken in Richtung des unbekannten Zerstörers unten auf der Straße lenkte. Vielleicht ist auch sonst noch etwas geschehen, oder irgend jemand ist vorbeigegangen...«

»Nur Wilson, der Diener, ist den Gang hinuntergegangen«, brummte Alboin, »und hat sich zum Warten auf die Bank gesetzt, aber ich glaube kaum, daß der uns sehr abgelenkt hat.«

»So etwas kann man nie wissen«, entgegnete Vair. »Das könnte die Erklärung sein; wahrscheinlicher aber ist es, daß Ihre Augen irgendeiner Geste des Priesters folgten, als er Ihnen seine Zaubergeschichte erzählte. In einem dieser blinden Flecken schlüpfte Warren Wynd durch die Tür und ging in den Tod. Das ist die naheliegendste Lösung, die zugleich Illustration einer neuen Entdeckung ist. Der menschliche Geist ist keine kontinuierliche, sondern vielmehr eine Linie aus lauter Punkten.«

»Ich habe den Eindruck, daß wir es hier mit ziemlich schwachen Punkten zu tun haben«, bemerkte Fenner mit Nachdruck.

»Sie glauben doch nicht im Ernst«, fragte Vair, »daß Ihr Arbeitgeber in seinem Zimmer eingesperrt war wie in einer Schachtel?«

»Immer noch besser als zu glauben, ich gehörte in ein Zimmer wie eine Gummizelle eingesperrt«, gab Fenner zurück. »Das ist es nämlich, was mich an Ihren Vorstellungen stört, Professor. Ich bin eher bereit, einem Priester zu glauben, der an ein Wunder glaubt, als nicht daran zu glauben, daß der Mensch das Recht hat, an Tatsachen zu glauben. Der Priester versichert mir, daß ein Mensch einen Gott, über den ich nichts weiß, bitten kann, ihn nach den Gesetzen irgendeiner höheren Gerechtigkeit zu rächen, über die ich wiederum nichts weiß. Ich kann dazu nichts weiter sagen, als daß ich von diesen Dingen keine Ahnung habe. Aber wenn es möglich wäre, daß Gebet und Waffe des armen Iren in einer höheren Welt gehört werden, ist es zumindest denkbar, daß diese höhere Welt auf eine Art reagiert, die uns befremdlich vorkommen muß. Aber Sie verlangen von mir, den Fakten dieser Welt, so, wie sie sich meinen fünf Sinnen darstellt, keinen Glauben zu schenken. Wenn's nach Ihnen ginge, könnte ein ganzer Zug von Iren mit Donnerbüchsen in der Hand während unseres Gesprächs durchs Zimmer gelaufen sein – sie brauchten nur drauf achtzugeben, schön auf die blinden Flecken in unserem Verstand zu treten. Dagegen wirken Wunder nach Mönchsmanier, wie das Krokodil, das plötzlich aus dem Nichts gezaubert wird, oder die Robe, die man an einem Sonnenstrahl aufhängt, geradezu normal.«

»Tja, wenn Sie denn fest entschlossen sind, an Ihren Pfaffen und seinen wundersamen Iren zu glauben«, erklärte Professor Vair ziemlich kurz angebunden, »so kann ich nichts mehr dazu sagen. Ich habe leider den Eindruck, daß Sie bisher keine Gelegenheit hatten, sich mit der Psychologie vertraut zu machen.«

»Stimmt«, gab Fenner trocken zurück. »Aber ich hatte Gelegenheit, mich mit Psychologen vertraut zu machen.«

Mit einer höflichen Verbeugung geleitete er seine Deputation aus dem Zimmer und hüllte sich in Schweigen, bis sie auf der Straße standen. Dann brach es aus ihm heraus:

»Idioten, alle miteinander. Was zum Teufel glauben die Herren denn, was aus der Welt werden soll, wenn niemand mehr weiß, ob er was gesehen hat oder nicht? Ich wünschte, ich hätte ihm eine Platzpatrone in seinen Holzkopf geschossen und ihm dann erklärt, das sei mir nur in einem blinden Fleck unterlaufen. Pater Browns Wunder mag nun wundersam sein oder nicht – aber er hat es vorausgesagt, und es ist geschehen. Und was machen diese verblödeten Querköpfe? Sie sehen mit eigenen Augen, daß etwas geschehen ist, und behaupten dann steif und fest, daß es nicht geschehen ist. Wissen sie was? Ich finde, wir sind es dem Padre schuldig, uns für seine kleine Demonstration stark zu machen. Wir sind allesamt normale, vernünftige Menschen, die nie an irgendwas geglaubt haben. Wir waren nicht betrunken. Wir waren nicht mit frommer Blindheit geschlagen. Es ist einfach geschehen – so wie er es vorausgesagt hat.«

»Ganz meine Meinung«, sagte der Millionär. »Vielleicht bahnen sich da noch große Dinge an im Glaubensbereich.

Fest steht, daß Pater Brown, der ja nun mal sein Geschäft mit dieser Glaubensmasche macht, in der Geschichte mächtig Pluspunkte gesammelt hat.«

Wenige Tage später erhielt Pater Brown einen sehr höflichen Brief von Silas T. Vandam mit der Frage, ob er zu einer bestimmten Zeit in der Suite sein könne, aus der Warren Wynd auf so geheimnisvolle Weise verschwunden war, um die nötigen Schritte zur Feststellung dieses wundersamen Geschehnisses einzuleiten. Das Geschehnis selbst machte sich bereits in den Zeitungen breit, und überall stürzten sich die Anhänger des Okkultismus voller Begeisterung darauf. Auf dem Weg zur Moon Crescent las Pater Brown die Balkenüberschriften der Plakate: »Selbstmord des Mannes, der sich in Luft auflösen konnte« und »Fluch eines Unbekannten bringt Philanthropen an den Strick«. Er fand die kleine Gruppe – Vandam, Alboin und den Sekretär – mehr oder weniger unverändert vor, aber in ihrem Ton ihm gegenüber war eine ganz neue Achtung, ja, sogar Ehrfurcht zu erkennen. Sie standen an Wynds Schreibtisch, auf dem ein großes Blatt Papier und Schreibmaterial bereitlagen, und wandten sich zu seiner Begrüßung um.

»Pater Brown«, sagte der Sprecher, es war der weißhaarige Mann aus dem Westen, den die Verantwortung merklich gesetzter gemacht hatte, »wir haben Sie hergebeten, um uns erstens bei Ihnen zu entschuldigen und zu bedanken. Wir sehen ein, daß Sie es waren, der von Anfang an die geistige Manifestation erkannt hat. Wir waren alle hartgesottene Skeptiker, aber inzwischen ist uns klargeworden, daß man diese Verhärtung aufbrechen muß, um an die großen Dinge unserer Welt heranzukommen. Für diese Dinge stehen Sie. Sie stehen für die übernatürliche Erklärung der Dinge, und das akzeptieren wir. Zweitens haben wir den Eindruck, daß dieses Dokument ohne Ihre Unterschrift nicht vollständig wäre. Wir setzen darin die Gesellschaft für die Erforschung des Übersinnlichen von dem Fall in Kenntnis, denn in den Zeitungsmeldungen ist es ja mit der Genauigkeit nicht allzuweit her. Wir haben geschildert, wie der Fluch auf der Straße ausgestoßen wurde, wie der Mann hier in einem Zimmer wie in einer Schachtel eingesperrt war, wie er sich durch den Fluch in Luft auflöste und auf unerklärliche Weise als ein am Galgen hängender Selbstmörder wieder Gestalt angenommen hat. Das ist alles, was wir über die Sache sagen können, aber das zumindest wissen wir und haben es mit eigenen Augen gesehen. Und da Sie als erster an das Wunder geglaubt haben, meinen wir, daß Sie auch als erster unterschreiben sollten.«

»Ach nein, danke«, sagte Pater Brown sehr verlegen. »Das möchte ich eigentlich nicht.«

»Sie meinen, Sie möchten nicht als erster unterschreiben?«

»Ich meine, daß ich eigentlich gar nicht unterschreiben möchte«, sagte Pater Brown bescheiden. »Wissen Sie, einem Mann wie mir steht es schlecht an, mit Wundern Späße zu treiben.«

»Aber Sie haben doch gesagt, daß es ein Wunder war«, meinte Alboin und machte große Augen.

»Es tut mir furchtbar leid«, sagte Pater Brown, »aber mir scheint, hier liegt ein Mißverständnis vor. Ich glaube nicht, daß ich je gesagt habe, es handele sich um ein Wunder. Ich habe nur gesagt, es könne geschehen. Und Sie haben gesagt, es könne nicht geschehen, denn dann wäre es ein Wunder. Und dann ist es geschehen, und Sie haben gesagt, es ist ein Wunder. Aber ich habe von Anfang bis zu Ende kein Wort von Wundern oder Zauberwerk oder dergleichen gesagt.«

»Aber ich denke, Sie glauben an Wunder«, entfuhr es dem Sekretär.

»Ja«, entgegnete Pater Brown. »Ich glaube an Wunder. Ich glaube auch an menschenfressende Tiger, aber ich sehe sie nicht überall herumlaufen. Wenn ich Wunder haben will, weiß ich, wo sie zu finden sind.«

»Ich begreife Ihre Einstellung nicht, Pater Brown«, sagte Vandam eindringlich. »Sie kommt mir sehr engstirnig vor, und wenn Sie auch ein geistlicher Herr sind, machen Sie auf mich eigentlich gar keinen engstirnigen Eindruck. Begreifen Sie nicht, daß ein Wunder dieser Art dem Materialismus ein für allemal den Garaus machen könnte? Damit wird der Welt nachdrücklich klargemacht, was geistige Kräfte bewirken können und was sie bereits bewirkt haben. Sie werden dem Glauben einen Dienst erweisen, wie dies noch durch keinen Geistlichen geschehen ist.«

Der Priester hatte sich aufgerichtet und schien plötzlich auf seltsame Weise in eine unbewußte Würde gehüllt zu sein, die nichts mit seiner gedrungenen Gestalt und seiner eigenen bescheidenen Person zu schaffen hatte. »Sie werden mir gewiß nicht zumuten wollen, der Religion durch eine bewußte Lüge einen Dienst zu erweisen. Ich weiß nicht recht, was Sie mit diesem Satz gemeint haben, und bin ehrlich gesagt nicht sicher, ob Sie selbst es wissen. Kann sein, daß man durch Lügen dem Glauben einen Dienst erweist – Gott aber sicher nicht. Und da Sie so hartnäckig immer wieder auf das zurückkommen, was ich glaube, wäre es vielleicht nicht übel, wenn Sie sich zunächst eine Vorstellung davon machen könnten.«

»Da komme ich nicht ganz mit«, meinte der Millionär verblüfft.

»Den Eindruck habe ich auch«, versetzte Pater Brown sachlich. »Sie sagen, übersinnliche Mächte hätten diese Tat bewerkstelligt. Was für übersinnliche Kräfte? Sie werden doch wohl nicht glauben, daß die heiligen Engel ihn an einem Parkbaum aufgehängt hätten, nicht wahr? Und was die gefallenen Engel betrifft – nein, nein und nochmals nein. Die Männer, die hier schuldig geworden sind, haben eine böse Tat begangen, aber sie haben es mit ihrer eigenen Bosheit genug sein lassen, sie waren nicht verderbt genug, sich mit übersinnlichen Mächten einzulassen. Ich weiß das eine oder andere über den Satan, leider, und dieses Wissen hat mich einen hohen Preis gekostet. Ich weiß, wie der Satan sich verhält: hochmütig und verschlagen nämlich. Er spielt den Überlegenen, liebt es, Unschuldige mit halb Verstandenem zu erschrecken, kleine Kinder zu ängstigen. Deshalb hat er so ein Faible für Rätselhaftes, für Initiationen und Geheimgesellschaften und dergleichen. Seine Augen sind nach innen gerichtet, und so hochtrabend und seriös er sich auch gibt, er verbeißt sich stets ein leises, wahnwitziges Lächeln.« Pater Brown fröstelte unvermittelt, als habe ein eisiger Windhauch ihn gestreift. »Aber damit haben diese Männer nichts zu tun. Glauben Sie, daß diesem armen, ungebärdigen Iren, der wie rasend die Straße hinuntergelaufen kam, der alles schon halb ausplauderte, kaum, daß er mich zu Gesicht bekam – glauben Sie, daß dem der Satan seine Geheimnisse anvertrauen würde? Gewiß, der Mann war an einem Komplott beteiligt, war vermutlich im Bunde mit zwei Kumpanen, die schlimmer waren als er. Dennoch war er nur von rasender Wut erfüllt, als er in dem Durchgang den Schuß und den Fluch losließ.«

»Aber was um alles in der Welt hatte das zu bedeuten?« fragte Vandam. »Mit einer Spielzeugpistole und einem billigen Fluch konnte man nie und nimmer das bewirken, was geschehen ist. Wenn nicht ein Wunder im Spiel war, könnte man nie Wynd verschwinden und eine Viertelmeile weiter weg mit einem Strick um den Hals wiederauftauchen lassen.«

»Das nicht«, sagte Pater Brown scharf. »Was aber könnte man damit bewirken?«

»Ich kann Ihnen noch immer nicht folgen«, erwiderte der Millionär ratlos.

»Ich wiederhole: Was aber könnte man damit bewirken?« Der Priester ließ zum ersten Mal eine Lebhaftigkeit erkennen, die an Verärgerung grenzte. »Sie erzählen hier immerfort, daß durch einen Schuß mit einer Platzpatrone dies und jenes nicht zu bewerkstelligen sei, daß allein dadurch kein Mord oder auch kein Wunder geschehen könne. Anscheinend haben Sie sich aber noch nicht gefragt, was ein solcher Schuß denn nun wirklich bewerkstelligen könnte. Was würden Sie machen, wenn ein Irrer es sich einfallen ließe, direkt unter Ihrem Fenster ohne Sinn und Verstand einen Schuß abzugeben?«

Vandam sah nachdenklich vor sich hin. »Ich schätze, ich würde aus dem Fenster schauen«, sagte er.

»Eben«, meinte Pater Brown. »Sie würden aus dem Fenster schauen. Das ist die ganze Geschichte. Es ist eine traurige Geschichte, aber sie ist vorbei, und es sind mildernde Umstände in Betracht zu ziehen.«

»Was könnte ihm denn aber groß geschehen, wenn er aus dem Fenster sah?« fragte Alboin. »Heruntergefallen ist er nicht, sonst hätte man ihn unten gefunden.«

»Nein«, erwiderte Pater Brown leise. »Er ist nicht gefallen. Er hat sich erhoben.«

Seine Stimme klang wie das Dröhnen eines Gongs, schwer und schicksalhaft, aber er sprach ruhig weiter:

»Er hat sich erhoben, aber nicht auf Flügeln, nicht auf den Fittichen irgendwelcher heiliger oder gefallener Engel. Er erhob sich am Ende eines Stricks. Eine Schlinge wurde ihm über den Kopf geworfen, sobald er ihn aus dem Fenster steckte. Erinnern Sie sich nicht an Wilson, seinen langen Diener, einen Kerl wie ein Baum, gegen den Wynd ein mickriges kleines Kerlchen war? Ist nicht Wilson ein Stockwerk höher gegangen, um ein Pamphlet zu holen, aus einem Raum voller Akten, die meterweise mit Stricken verschnürt waren? Hat man Wilson seit jenem Tag gesehen? Schwerlich...«

»Soll das heißen«, fragte der Sekretär, »daß Wilson ihn einfach aus seinem eigenen Fenster herausgeholt hat wie eine Forelle an der Angelschnur?«

»Ganz recht. Und daß er ihn aus dem Fenster in den Park hinunterließ, wo der dritte Komplize ihn an einen Baum band. Denken Sie daran, daß der Durchgang stets leer und die Brandmauer gegenüber fensterlos war, daß alles in fünf Minuten vorbei war, nachdem der Ire das Signal mit der Pistole gegeben hatte. Natürlich waren sie zu dritt – ich möchte gern wissen, ob Sie erraten können, wer die drei waren.«

Sie sahen mit großen Augen auf das schmucklose rechteckige Fenster und die kahle weiße Mauer dahinter. Keiner antwortete. »Übrigens«, fuhr Pater Brown fort, »mache ich Ihnen keinen Vorwurf daraus, daß Sie vorschnell an Übersinnliches gedacht haben. Es gibt dafür einen sehr einfachen Grund. Sie haben alle hoch und heilig versichert, hartgesottene Materialisten zu sein. Tatsächlich balancieren Sie alle am Rande des Glaubens – des Glaubens an irgendwas. Viele Tausende befinden sich heutzutage in dieser Lage, aber es sitzt sich unbequem auf so einer scharfen Kante. Ihr und euresgleichen ruht nicht, bis ihr an irgend etwas glaubt. Deshalb ist Mr. Vandam durch die neuen Religionen mit einem Staubkamm durchgegangen, deshalb zitiert Mr. Alboin die Bibel als Beleg für seine Religion der Atemübungen, deshalb grollt Mr. Fenner eben jenem Gott, den er leugnet. Und daran sind Sie alle gescheitert. Es ist etwas ganz Natürliches, an das Übernatürliche zu glauben. Nur das Natürliche zu akzeptieren, kommt dem Menschen nie natürlich vor. Und so genügte ein sanfter Schubs, um Sie in den Bereich des Übersinnlichen zu befördern. Dabei handelte es sich in Wirklichkeit um ganz natürliche, um nicht zu sagen unnatürlich einfache Vorgänge. Ich glaube, es hat noch nie eine so einfache Geschichte gegeben.«

Fenner lachte, dann runzelte er die Stirn. »Eins verstehe ich nicht. Wenn es wirklich Wilson war, wie kam es dann, daß Wynd ihm diese Vertrauensstellung gegeben hat? Wie kam es, daß er von einem Mann umgebracht wurde, den er seit Jahren tagtäglich um sich hatte? Er war doch berühmt für sein sicheres Urteil über Menschen.«

Pater Brown stieß mit einer für ihn seltenen Heftigkeit seinen Regenschirm auf dem Boden auf.

»Ja«, erwiderte er fast zornig. »Deshalb hat er ja auch sein Leben verloren. Eben deshalb. Weil er sich erdreistete, über Menschen zu urteilen.«

Sie sahen ihn alle groß an, aber er fuhr fort, fast, als sei er allein im Zimmer:

»Wie kann ein Mensch sich zum Richter über andere Menschen aufwerfen? Bei diesen dreien handelte es sich um die Landstreicher, die einst vor ihm standen und geschwind nach rechts und links geschickt wurden – als hätten sie keinen Anspruch auf einen Mantel der Höflichkeit, auf langsame Phasen der Vertrautheit, auf freien Willen in der

Wahl ihrer Freunde. Zwanzig Jahre haben die Erbitterung nicht auslöschen können, die aus jener tiefen Kränkung erwuchs, als er sich anmaßte, sie auf einen Blick durchschauen zu wollen.«

»Ja«, sagte der Sekretär. »Ich verstehe. Und ich verstehe, wie es kommt, daß Sie... Verständnis für so mancherlei haben.«

»Ich will verdammt sein, wenn ich das verstehe«, ereiferte sich der stürmische Gentleman aus dem Westen. »Dieser Wilson und dieser Ire sind in meinen Augen Mörder und Halsabschneider, die ihren Wohltäter umgebracht haben. In meinem Sittenkodex – Religion hin, Religion her – ist kein Platz für solche schwarzen Schurken.«

»Sicher waren sie schwarze Schurken«, entgegnete Fenner ruhig. »Ich will sie nicht verteidigen, aber ich denke doch, daß Pater Brown für alle Menschen beten muß, sogar für einen Menschen wie –«

Das Lied der fliegenden Fische

Die Seele von Mr. Pregrine Smart kreiste summend wie eine Fliege um einen Besitz und einen Scherz. Eigentlich war es ein ziemlich mäßiger Scherz, denn er bestand lediglich aus der an beliebige Zeitgenossen gerichteten Frage, ob sie schon seine Goldfische gesehen hätten. Andererseits war es auch ein kostspieliger Scherz, wobei zu fragen ist, ob Peregrine Smart nicht insgeheim an dem Scherz selbst mehr Freude hatte als an der Zurschaustellung seines Schatzes. Im Gespräch mit seinen Nachbarn aus der kleinen Gruppe neuer Häuser, die um den alten Dorfanger herum entstanden waren, verlor er keine Zeit, das Gespräch auf sein Hobby zu bringen. Bei Dr. Burdock, einem aufstrebenden Biologen mit energischem Kinn und auf deutsche Art zurückgekämmtem Haar, hatte er einen unverfänglichen Aufhänger mit der Frage: »Sie interessieren sich doch für Naturgeschichte. Haben Sie schon meine Goldfische gesehen?« Für einen so orthodoxen Anhänger der Evolutionstheorie wie Dr. Burdock war zwar alle Natur eins, dennoch lag auf den ersten Blick die Verbindung nicht allzu nahe, da sein Spezialgebiet die primitive Vorfahrenreihe der Giraffe war. Für Pater Brown, Pfarrer an einer Kirche in der benachbarten Provinzstadt, schmiedete er rasch eine Gedankenkette mit den Gliedern »Rom – St. Peter – Fischer – Fische – Goldfische«. Im Gespräch mit Bankdirektor Imlack Smith, einem schlanken Gentleman mit blassem Gesicht, modischer Kleidung, aber zurückhaltendem Auftreten, steuerte er die Unterhaltung mit aller Gewalt auf den Goldstandard, von dem es nur noch ein Schritt bis zum Goldfisch war. Wenn er mit dem berühmten Orientreisenden und Gelehrten Graf Yvon de Lara sprach, dessen Titel französisch, dessen Gesichtszüge aber eher russisch, um nicht zu sagen tatarisch waren, zeigte der gewandte Causeur ein lebhaftes Interesse für den Ganges und den Indischen Ozean, wonach dann ganz zwanglos die Rede auf das mögliche Vorhandensein von Goldfischen in jenen Gewässern kam. Harry Hartopp endlich, dem sehr reichen, aber auch schüchternen und schweigsamen jungen Mann, der erst kürzlich aus London zugezogen war, hatte er die Mitteilung abgerungen, daß jener sich vor Verlegenheit windende Jüngling *keine* besondere Vorliebe fürs Angeln hegte, und hatte dann nachgeschoben: »Da wir gerade vom Angeln sprechen – haben Sie schon meine Goldfische gesehen?«

Diese Goldfische zeichneten sich dadurch aus, daß sie tatsächlich aus Gold waren. Sie waren Teil einer exzentrischen, aber teuren Spielerei, die angeblich auf die Laune eines reichen orientalischen Potentaten zurückging, und Smart hatte sie auf einer jener Auktionen oder in einem jener Kuriositätenläden aufgestöbert, die er gern besuchte, um sein Haus mit ausgefallenen, aber nutzlosen Gegenständen vollzustopfen. Von weitem sah das Ganze aus wie ein ungewöhnlich großer Glasbehälter mit ungewöhnlich großen lebenden Fischen. Bei näherem Hinsehen erwies sich das Ding als eine große, sehr dünnwandige, handgeblasene venezianische Glaskugel mit zart irisierendem Farbschimmer, in dessen getönter Dämmerwelt groteske goldene Fische mit großen Rubinen als Augen hingen. Schon der Materialwert des Gebildes war zweifellos beträchtlich; die Wertsteigerung richtete sich nach der jeweils in Sammlerkreisen vorherrschenden Modetorheit. Smarts neuer Sekretär, ein junger Mann namens Francis Boyle, der allgemein für einen Iren gehalten wurde und entsprechend dieser Herkunft als nicht gerade besonders vorsichtig verschrien war, wunderte sich doch ein wenig darüber, daß Peregrine Smart so offenherzig über das Prunkstück seiner Sammlung mit Leuten sprach, die ihm verhältnismäßig fremd waren und sich mehr oder minder zufällig in der Nachbarschaft niedergelassen hatten, denn

Sammler sind gewöhnlich wachsam und nicht selten ausgesprochene Geheimniskrämer. Nachdem er sich etwas in seiner neuen Stellung eingelebt hatte, stellte Mr. Boyle fest, daß er mit dieser Ansicht nicht allein stand, ja, daß andere nicht nur Überraschung, sondern strenge Mißbilligung äußerten.

»Ein Wunder, daß ihm noch keiner die Kehle durchgeschnitten hat«, sagte Smarts Kammerdiener Harris nicht ohne einen genüßlichen Schauder.

»Erstaunlich, wie er die Sachen rumstehen läßt«, sagte Smarts Buchhalter Jameson, der aus seinem Büro gekommen war, um dem neuen Sekretär unter die Arme zu greifen. »Und dabei legt er nicht mal die klapprigen alten Eisenstangen vor seine klapprige alte Tür.«

»Bei Pater Brown und dem Doktor laß ich mir das ja noch gefallen«, sagte Smarts Haushälterin mit der für sie typischen, vielsagend-vagen Art. »Aber bei Ausländern fordert er doch damit das Schicksal geradezu heraus. Dabei meine ich nicht bloß den Grafen. Dieser Bankmensch sieht mir für einen Engländer viel zu gelb aus.«

»Dafür ist der junge Hartopp Engländer durch und durch«, stellte Boyle gutmütig fest. »Das merkt man schon daran, daß er nichts zu sagen hat.«

»Dafür denkt er sich seinen Teil«, meinte die Haushälterin. »Ausländer hin, Ausländer her – so blöd wie er aussieht, ist er nicht. An ihren Taten sollt ihr sie erkennen«, fügte sie orakelnd hinzu.

Ihre Mißbilligung hätte sich vermutlich noch verstärkt, wenn sie die Unterhaltung hätte mitanhören können, die an diesem Nachmittag im Salon ihres Herrn geführt wurde. Dabei drehte es sich wieder einmal um die Goldfische, doch mehr und mehr wurde der geschmähte Ausländer zum Mittelpunkt des Geschehens. Dabei sprach er gar nicht einmal viel, doch selbst sein Schweigen hatte etwas Bedeutsames an sich. Bergartig-massiv thronte er auf einem Haufen von Kissen, und in dem rasch schwindenden Dämmerlicht sah es aus, als ginge von seinem Mongolengesicht ein sanftes Leuchten aus wie von einem Mond.

Vielleicht betonte auch der Hintergrund, vor dem er saß, das Asiatische in seinen Zügen und in seiner Gestalt, denn im Zimmer häuften sich mehr oder weniger kostbare Kuriositäten, darunter zahllose orientalische Waffen mit ihren krummen Klingen und kräftigen Farben, orientalische Pfeifen und Gefäße, Musikinstrumente und illuminierte Manuskripte aus dem Fernen Osten. Jedenfalls hatte Boyle, je länger die Unterhaltung dauerte, immer mehr das Gefühl, daß die sich dunkel vor der Dämmerung abhebende Gestalt dort auf den Kissen im Umriß einer riesigen Buddhastatue täuschend ähnlich sah.

Das Gespräch war allgemein gehalten, denn der ganze Kreis der Nachbarn hatte sich zusammengefunden. Sie besuchten sich häufig untereinander, und die Bewohner der vier oder fünf Häuser rund um den Dorfanger waren inzwischen schon zu einer Art Klub geworden. Von diesen Häusern war das von Peregrine Smart das älteste, größte und malerischste. Es erstreckte sich fast über eine ganze Seite des Angers, daneben blieb nur noch Platz für eine kleine Villa, in der ein angeblich kränklicher pensionierter Oberst namens Varney wohnte, den noch niemand zu Gesicht bekommen hatte. Rechtwinklig zu diesen Häusern standen zwei oder drei Läden für den einfacheren Bedarf der Dorfbewohner, an der Ecke schloß sich das Gasthaus »Zum blauen Drachen« an, in dem Hartopp, der Fremde aus London, logierte. Gegenüber standen drei Häuser, von denen eins Graf de Lara und ein zweites Dr. Burdock gemietet hatte; das dritte stand noch leer. Auf der vierten Seite waren die Bank und ein Wohnhaus für den Bankdirektor. Den Abschluß bildete ein noch unbebautes Grundstück, das durch einen Bretterzaun abgegrenzt war. Es handelte sich also um eine sehr geschlossene kleine Gruppe, und da sich auf allen Seiten um das Dorf herum über viele Meilen offenes Land erstreckte, waren ihre Mitglieder im gesellschaftlichen Verkehr aufeinander angewiesen. Doch an diesem Nachmittag war ein Fremder in ihren magischen Zirkel eingedrungen, ein Mann mit scharfgeschnittenem Gesicht, buschig-drohenden Augenbrauen und einem ebensolchen Schnurrbart. Er war so schäbig gekleidet, daß er Millionär oder Herzog sein mußte, wenn er wirklich (wie es hieß) hergekommen war, um Geschäfte mit dem alten Sammler zu machen. Im »Blauen Drachen« ließ er sich mit Mr. Harmer anreden.

Auch er hatte sich das Loblied auf die goldenen Fische und die Bedenken hinsichtlich ihrer Verwahrung anhören müssen.

»Alle liegen mir ständig mit der Mahnung in den Ohren, ich solle sie sorgfältiger sichern«, bemerkte Mr. Smart und warf einen Blick über die Schulter auf den Buchhalter, der mit einigen Geschäftspapieren in der Hand dastand. Smart war ein kleiner, alter Herr mit rundlichem Gesicht und Körper, der ein bißchen an einen gerupften Papagei erinnerte. »Jameson und Harris und all die anderen setzen mir unentwegt zu, ich solle die Türen verrammeln wie in einer mittelalterlichen Festung, dabei sind diese verrosteten alten Eisenstangen bestimmt zu mittelalterlich, um jemanden am Einsteigen zu hindern. Ich verlasse mich lieber auf mein Glück und auf die Ortspolizei.«

»Nicht immer sind die besten Stangen auch die sichersten«, sagte der Graf. »Es kommt immer darauf an, wer sich am Einstieg versucht. Es gab da mal einen alten Hindu-Eremiten, der nackt in einer Höhle hauste. Es gelang ihm, durch drei Armeen, die den Mogul bewachten, zu diesem vorzudringen, dem Tyrannen den großen Rubin aus dem Turban zu nehmen und sich unbehelligt und wie ein Schatten wieder zu entfernen. Damit hatte er den Mächtigen vor Augen führen wollen, wie belanglos die Gesetze von Raum und Zeit sind.«

»Wenn wir uns die belanglosen Gesetze von Raum und Zeit einmal genauer ansehen«, sagte Dr. Burdock trocken, »stellt sich meist heraus, wie diese Tricks ablaufen. Die westliche Wissenschaft hat viel von dem orientalischen Hokuspokus aufgeklärt. Mit Hypnose und Suggestion läßt sich zweifellos manches machen, von Taschenspielerkunststückchen ganz zu schweigen.«

»Der Rubin war nicht im Zelt des Moguls«, bemerkte der

Graf in seiner versonnenen Art. »Der Eremit fand ihn unter Hunderten von Zelten heraus.«

»Läßt sich das nicht durch Telepathie erklären?« fragte der Arzt scharf.

Die Frage klang um so schärfer, als ihr eine lastende Stille folgte, ganz so, als sei der prominente Orientreisende unhöflicherweise eingeschlafen.

»Entschuldigen Sie vielmals.« Er gab sich einen Ruck und lächelte unvermittelt. »Ich hatte vergessen, daß wir mit Worten sprechen. Im Osten sprechen wir mit Gedanken, und deshalb kommt es dort auch nie zu Mißverständnissen. Es ist erstaunlich, wie sehr Sie hier an Worten hängen und an einem Wort Genügen finden. Spielt es eine Rolle, ob Sie jetzt etwas Telepathie nennen, was Sie einst als Humbug zu bezeichnen pflegten? Wenn ein Mann auf einem Mangobaum in den Himmel steigt und man von der Überwindung der Schwerkraft spricht, ist das etwas anderes als das vormalige schöne Wort Hokuspokus? Wenn eine mittelalterliche Hexe ihren Zauberstab schwenken und mich in einen Pavian verwandeln würde, hätten Sie sofort den handlichen Begriff Atavismus bereit.«

Man sah dem Doktor an, daß er am liebsten gesagt hätte, eine solche Veränderung würde bei dem Grafen vermutlich kaum auffallen, aber ehe er noch mit dieser oder einer anderen Bemerkung seinem Ärger hatte Luft machen können, fuhr Harmer in schroffem Ton dazwischen:

»Daß diese indischen Zauberkünstler manchmal die komischsten Sachen fertigbringen, stimmt schon, aber doch wohl nur in Indien. Vielleicht, weil sie da ihre Spießgesellen haben. Oder es ist Massensuggestion. Ich glaube, in einem englischen Dorf hat noch keiner solche Tricks versucht, und so dürften die Goldfische unseres Freundes hier ziemlich sicher sein.«

»Ich will Ihnen eine Geschichte erzählen«, sagte de Lara auf seine unbewegte Art, »die sich nicht in Indien, sondern vor einer englischen Kaserne im modernsten Viertel Kairos zugetragen hat. Hinter dem Gitter eines eisernen Tores stand ein Posten und sah durch die Gitterstäbe auf die Straße hinaus. Vor dem Tor erschien ein barfüßiger, zerlumpter einheimischer Bettler und verlangte in auffallend klarem und reinem Englisch ein bestimmtes offizielles Schriftstück, das aus Sicherheitsgründen in der Kaserne verwahrt wurde. Natürlich sagte der Posten dem Mann, er könne nicht hereinkommen, worauf der Mann lächelnd fragte: ›Was ist drinnen, und was ist draußen?‹ Der Soldat sah noch immer abschätzig durch die Gitter, als er plötzlich merkte, daß er, obgleich weder er noch das Tor sich bewegt hatten, auf der Straße stand und in den Kasernenhof hineinsah, wo jetzt der Bettler reglos lächelnd verharrte. Als der Bettler sich der Kaserne selbst zuwandte, nahm der Soldat hastig die kümmerlichen Reste seiner fünf Sinne zusammen und wies alle Kameraden innerhalb des Gitterzauns an, den Mann festzuhalten. ›Raus kommst du hier nicht mehr‹, rief er dem Bettler hämisch zu. Da sagte der Bettler mit seiner silberklaren Stimme: ›Was ist draußen, und was ist drinnen?‹ Der Soldat, der noch immer wütend durch die Gitterstäbe starrte, sah, daß sie sich wieder zwischen ihm und der Straße befanden, wo der Bettler stand, frei und unbehelligt, und lächelnd ein Schriftstück in der Hand hielt.«

Imlack Smith, der Bankdirektor, der den dunklen, gepflegten Kopf gesenkt hatte und zu Boden sah, ergriff jetzt zum ersten Mal das Wort.

»Ist mit dem Schriftstück irgendwas passiert?« fragte er.

»Sie haben offenbar von Berufs wegen eine gute Nase, Sir«, sagte der Graf mit grimmiger Verbindlichkeit. »Es war ein Dokument von beträchtlicher finanzieller Bedeutung, die Folgen waren weltweit spürbar.«

»Hoffentlich kommt so was nicht oft vor«, meinte der junge Hartopp bedrückt.

»Mich interessiert nicht die politische Seite des Falles«, sagte der Graf heiter, »sondern nur die philosophische. Er zeigt, wie der Weise aus Zeit und Raum treten und gewissermaßen ihre Hebel in Bewegung setzen kann, so daß sich die ganze Welt vor unseren Augen dreht. Aber Menschen Ihres Schlages fällt es eben schwer zu glauben, daß geistige Kräfte wirklich stärker sind als materielle.«

»Also, ich gebe gern zu, daß ich keine Autorität auf dem Gebiet geistiger Kräfte bin«, meinte der alte Smart munter. »Was sagen Sie zu der Sache, Pater Brown?«

»Mir ist nur aufgefallen«, entgegnete der kleine Priester, »daß die übernatürlichen Taten, von denen wir gehört haben, alles Diebstähle waren. Und Diebstahl bleibt Diebstahl, ob er nun mit Hilfe geistiger oder materieller Kräfte ausgeführt wird.«

»Pater Brown ist ein Philister«, sagte Smith und lächelte.

»Der Stamm der Philister ist mir gar nicht so unsympathisch«, sagte Pater Brown. »Ein Philister ist nichts weiter als ein Mensch, der recht hat, ohne zu wissen, warum.«

»Das ist mir alles zu hoch«, erklärte Hartopp unumwunden.

»Vielleicht«, lächelte Pater Brown, »würden Sie es vorziehen, nach Art des Grafen ohne Worte zu reden. Er könnte das Gespräch mit bedeutsamem Nichtssagen beginnen, und Sie könnten mit einem Schwall von Schweigsamkeit antworten.«

»Möglicherweise ließe sich mit Musik etwas machen«, überlegte der Graf laut. »Das wäre besser als viele Worte.«

»Ja, das könnte ich wohl eher verstehen«, sagte der junge Mann leise.

Boyle war der Unterhaltung mit besonderem Interesse gefolgt, denn im Verhalten einiger der Anwesenden lag etwas, was ihm bedeutungsvoll, ja, sogar recht eigentümlich vorkam. Als sich jetzt das Gespräch der Musik zuwandte – mit einem Appell an den geschniegelten Bankdirektor, der ein recht begabter Laienmusiker war –, erinnerte sich der junge Sekretär plötzlich seiner Pflichten und machte seinen Arbeitgeber darauf aufmerksam, daß der Buchhalter noch immer mit den Papieren in der Hand geduldig wartete.

»Ach, die Sachen haben Zeit, Jameson«, sagte Smart recht hastig. »Es geht nur um mein Konto, ich spreche später mit Mr. Smith darüber. Sie sagten, das Cello, Mr. Smith...«

Doch der kalte Hauch geschäftlicher Dinge hatte genügt,

um die Dämpfe transzendentaler Thematik zu verwehen, und die Gäste begannen sich zu verabschieden. Imlack Smith, Bankdirektor und Musikfreund, blieb bis zuletzt. Als die anderen gegangen waren, begab er sich mit seinem Gastgeber in das angrenzende Zimmer, in dem die Goldfische standen. Die Tür machten sie hinter sich zu.

Das Haus war lang und schmal und auf der Höhe des ersten Stocks von einem überdachten Balkon umgeben. Dieses Stockwerk bewohnte in erster Linie der Hausherr selbst, er hatte dort sein Schlaf- und Ankleidezimmer und daran angrenzend einen kleinen Raum, in dem manchmal über Nacht seine wertvollsten Schätze deponiert wurden, die sich sonst im Erdgeschoß befanden. Dieser Balkon gab ebenso wie die ungenügend gesicherte Haustür der Haushälterin, dem Buchhalter und anderen, die den Leichtsinn des Sammlers beklagten, Anlaß zur Besorgnis. Tatsächlich aber war dieser listige alte Vogel gar nicht so leichtsinnig, wie er tat. Zwar hielt er nicht viel von den veralteten Sicherungsstangen, die vor den Augen der besorgten Haushälterin vor sich hin rosteten, aber er verlor einen wichtigeren Punkt, die Strategie, nie aus den Augen. Seine geliebten Goldfische brachte er nachts immer in den kleinen Raum hinter seinem Schlafzimmer, in dem er sich mit einer Pistole unter dem Kopfkissen niederlegte. Als Boyle und Jameson ihn nach seinem Gespräch unter vier Augen endlich aus der Tür treten sahen, trug er das Goldfischglas so andächtig vor sich her wie eine Reliquie.

Während draußen noch die letzten Strahlen der untergehenden Sonne die Ecken des Dorfangers trafen, hatte man im Haus schon eine Lampe angezündet. In der Mischung dieser beiden Beleuchtungen glühte die bunte Kugel wie ein monströser Edelstein, und die phantastischen Umrisse der rotgoldenen Fische verliehen ihr etwas Geheimnisvolles, als sei sie ein Talisman oder als umschlösse sie seltsame Gestalten, wie sie ein Wahrsager in seiner Kristallkugel sehen mag. Das olivfarbene Gesicht des Imlack Smith erschien mit einem sphinxgleichen Ausdruck über der Schulter des alten Herrn.

»Ich fahre heute abend nach London, Mr. Boyle«, verkündete Smart ernster als gewöhnlich. »Mr. Smith und ich nehmen den Zug um 18 Uhr 45. Es wäre mir lieb, Jameson, wenn Sie heute nacht hier oben schlafen würden. Wenn Sie das Goldfischglas an seinen üblichen Platz stellen, dürfte es dort in Sicherheit sein. Natürlich rechne ich nicht damit, daß etwas passiert...«

»Passieren kann immer etwas«, sagte Mr. Smith lächelnd. »Soweit ich weiß, legen Sie sich gewöhnlich mit einer Schußwaffe zu Bett. Vielleicht ist es besser, wenn Sie sie heute hierlassen.«

Peregrine Smart antwortete nicht. Die beiden traten aus dem Haus auf die Straße, die um den Dorfanger herumführte.

Weisungsgemäß verbrachten der Sekretär und der Buchhalter die Nacht im Schlafzimmer ihres Arbeitgebers. Das heißt, Jameson, der Buchhalter, schlief im Ankleidezimmer, aber die Verbindungstür stand offen, so daß die beiden nach vorn hinausgehenden Zimmer praktisch einen Raum bildeten. Das Schlafzimmer hatte eine auf den Balkon führende Glastür, eine weitere Tür führte in das Hinterzimmer, in dem das Goldfischglas stand. Boyle rückte sein Bett quer vor diese Tür, schob den Revolver unter sein Kissen, zog sich aus und legte sich zu Bett in dem Bewußtsein, alle nur möglichen Vorkehrungen zur Abwendung eines eigentlich unmöglichen oder zumindest unwahrscheinlichen Ereignisses getroffen zu haben. Warum sollte ausgerechnet in dieser Nacht mit einem Einbruch zu rechnen sein? Und mit den geistigen Diebstählen, die in den Reiseabenteuern des Grafen de Lara vorgekommen waren, beschäftigte er sich so kurz vor dem Einschlafen nur deshalb, weil sie aus dem Stoff waren, aus dem die Träume sind. Tatsächlich wurden sie bald zu wirklichen Träumen, die lange Phasen traumlosen Schlummers unterbrachen. Der alte Buchhalter war ein wenig unruhiger als gewöhnlich, aber nachdem er sich noch ein bißchen herumgewälzt und wieder einmal alle Bedenken und Warnungen geäußert hatte, die ihm besonders am Herzen lagen,

schlief er auch ein. Der Mond ging über dem grünen Dorfplatz und über den grauen, stillen, scheinbar menschenleeren Häusern auf und wieder unter. Und als schon die
bleiche Morgendämmerung am Rand des grauen Himmels
herumgeisterte, geschah es.

Boyle, als der Jüngere, hatte begreiflicherweise einen tieferen und gesünderen Schlaf. War er erst einmal wach, war
er ein reger junger Mann, aber das Wachwerden selbst
bedeutete für ihn eine schwere Mühe. Überdies hatte er
einen jener Träume gehabt, die sich an den erwachenden
Geist klammern wie die dunklen Fangarme eines Tintenfi-
sches. Er war gemischt aus vielerlei Eindrücken, darunter
auch seinem letzten Blick vom Balkon über die vier grauen
Straßen und den grünen Platz. Doch die Traumbilder
wechselten in schwindelerregender Folge, und immer be-
gleitete sie ein leise mahlendes Geräusch wie von einem
unterirdischen Fluß, das aber vielleicht nur das Schnar-
chen des alten Jameson im Ankleidezimmer war. Im Kopf
des Träumenden aber verbanden sich diese Geräusche und
diese Bewegungen auf unbestimmte Weise mit den Bemerkungen des Grafen de Lara über den Weisen, der die
Hebel von Zeit und Raum zu ergreifen und die Welt zu
drehen vermag. Im Traum war ihm tatsächlich, als bewege
eine riesige ächzende Maschine unter der Erde ganze
Landschaften hin und her, so daß plötzlich der Pol in
einem Vorgarten auftauchte und der eigene Vorgarten
über ferne Meere hinweg versetzt wurde.

Das erste, was er wieder mit vollem Bewußtsein wahr-
nahm, war der Text eines Liedes samt einer merkwürdig
dünn klingenden metallischen Begleitung. Es wurde mit
ausländischem Akzent gesungen; die Stimme kam ihm
zugleich fremd und vertraut vor. Dabei hätte er nicht einmal mit Bestimmtheit sagen können, ob er sich nicht vielleicht im Schlaf aufs Gedichtemachen verlegt hatte.

> Über das Land und über das Meer
> ruf ich meine fliegenden Fische her.
> Sie hören das Lied, sie kommen gern

> geschwind geflogen zu ihrem Herrn.
> Das Lied, das sie weckt, das sie mir erhält,
> es stammt nicht aus dieser kleinen Welt...

Boyle rappelte sich auf und sah, daß sein Mitwächter bereits aus dem Bett war. Jameson hatte die Balkontür aufgemacht und rief jemandem unten auf der Straße mit scharfer Stimme zu:

»Wer ist da? Was wollen Sie?«

Erregt wandte er sich Boyle zu. »Da draußen drückt sich ein Kerl herum. Ich hab doch immer gesagt, daß eines Tages was passiert. Ich geh jetzt runter und leg die Stangen vor, da könnt ihr machen, was ihr wollt.«

Er lief aufgeregt nach unten, und Boyle hörte das Klappern des Gestänges an der Haustür. Jetzt trat er auf den Balkon hinaus, sah auf die lange, graue Straße hinunter, die zum Haus führte, und glaubte noch immer zu träumen.

Auf der grauen Straße, die über das leere Moor und durch das englische Dorf führte, war eine Gestalt aufgetaucht, die geradewegs aus dem Dschungel oder aus dem Basar zu kommen schien – eine Gestalt aus einer der Abenteuergeschichten des Grafen oder aus *Tausendundeiner Nacht*. Das gespenstisch-graue Zwielicht, das kurz vor Tagesanbruch alle Gegenstände schärfer umreißt und ihnen gleichzeitig die Farbe nimmt, hob sich langsam wie ein grauer Gazeschleier und enthüllte ein in exotische Gewänder gehülltes Wesen. Ein Tuch von seltsam meerblauer Farbe war wie ein Turban um Kopf und Kinn gewickelt, so daß es das Gesicht völlig verbarg. Der Kopf war über ein eigenartiges Musikinstrument aus Silber oder Stahl gebeugt, das aussah wie eine deformierte Geige. Gespielt wurde es mit einer Art von Silberkamm, und die Töne waren merkwürdig dünn und durchdringend. Ehe Boyle den Mund aufmachen konnte, ertönte unter dem Burnus wieder diese eindringliche fremdländische Stimme:

> Wie die goldenen Vögel vom Zauberbaum
> fliegen meine Fische durch Zeit und Raum
> zurück zu mir...

»Sie haben hier nichts zu suchen«, rief Boyle voller Zorn, ohne recht zu wissen, was er sagte.

»Ich suche meine Goldfische«, sagte der Fremde, und das klang eher nach König Salomo als nach einem barfüßigen Beduinen in zerlumptem blauem Burnus. »Und sie werden zu mir kommen. Kommt, meine Kleinen.«

Er bearbeitete seine seltsame Fiedel, während er bei dem letzten Wort die Stimme hob. Der Ton konnte einem durch Mark und Bein gehen. Es folgte ein leiserer Ton, wie eine Antwort, ein schwirrendes Flüstern. Es kam aus dem dunklen Zimmer hinter Boyle, wo das Goldfischglas stand.

Der Sekretär wandte sich um. Im gleichen Augenblick wurde aus dem Nachhall in dem kleinen Raum ein anhaltendes Schrillen, wie von einer elektrischen Klingel, und dann hörte man ein leises Klirren. Seit er den Mann vom Balkon aus angesprochen hatte, waren nur Sekunden vergangen, aber der alte Buchhalter war schon wieder oben. Er keuchte leicht, denn er war nicht mehr der Jüngste.

»Na, die Tür ist jedenfalls zu.«

»Die Stalltür«, ließ sich Boyle aus der Dunkelheit des kleinen Nebenraums vernehmen.

Jameson folgte ihm. Boyle starrte auf den Boden, der mit buntschillerndem Glas bedeckt war wie von den Scherben eines Regenbogens.

»Die Stalltür? Was soll das heißen?« fragte Jameson.

»Das heißt, daß sie uns den Gaul gestohlen haben«, entgegnete Boyle. »Die fliegenden Gäule, wenn sie so wollen. Die Fische, denen unser Araberfreund da draußen gerade gepfiffen hat, als wären es abgerichtete Hunde.«

»Aber wie ist denn so was möglich?« brach es aus dem alten Buchhalter heraus, als seien solche Dinge einfach ungehörig.

»Sie sind jedenfalls weg«, sagte Boyle kurz angebunden. »Da liegt das zerbrochene Glas. Es richtig aufzumachen, hätte ziemlich lange gedauert, aber mit einem Schlag war die Angelegenheit in ein paar Sekunden erledigt. Die Fische sind jedenfalls über alle Berge, weiß Gott, auf welche Weise. Vielleicht sollten wir unseren Freund da draußen einmal danach fragen.«

»Wir vertun nur unsere Zeit«, sagte Jameson verzweifelt. »Wir müssen sofort hinterher.«

»Es ist bestimmt vernünftiger, gleich die Polizei zu verständigen«, wandte Boyle ein. »Mit einem Streifenwagen und dem Telefon überrunden sie ihn im Nu, jedenfalls haben sie bessere Chancen als wir, wenn wir im Nachthemd durchs Dorf laufen. Es ist natürlich denkbar, daß es einiges gibt, was sich selbst von Streifenwagen und Telefonen nicht überrunden läßt.«

Während Jameson aufgeregt mit dem Revier telefonierte, ging Boyle wieder auf den Balkon und warf einen schnellen Blick auf die im ersten Morgengrauen daliegende Landschaft. Der Mann mit dem Turban war nicht mehr zu sehen, alles war wie ausgestorben, bis auf eine leichte Bewegung, die ein sehr scharfes Auge vielleicht im Gasthaus »Zum blauen Drachen« hätte ausmachen können. Doch Boyle bemerkte jetzt zum ersten Mal bewußt etwas, was er schon die ganze Zeit unbewußt zur Kenntnis genommen hatte. Es war wie etwas, was sich im Unbewußten regt und verlangt, ernst genommen zu werden. Und dieses Etwas war die Tatsache, daß die graue Landschaft nie ganz gleichförmig grau gewesen war. Aus all der Farblosigkeit erhob sich ein goldener Fleck, das Licht einer Lampe in einem der Häuser auf der anderen Seite des Dorfangers. Etwas, was sich mit dem Verstand nicht bestätigen ließ, sagte ihm, daß sie die ganze Nacht hindurch gebrannt hatte und ihr heller Glanz erst jetzt, mit der Morgendämmerung, schwand. Er zählte die Häuser, und das Ergebnis schien eine Vermutung zu bestätigen, er hätte nur nicht recht sagen können welche. Auf jeden Fall war es das Haus des Grafen de Lara.

Indessen war Inspektor Pinner mit einigen seiner Leute eingetroffen und machte sich rasch und entschlossen ans Werk, denn er war sich wohl bewußt, daß gerade wegen der Ausgefallenheit der kostbaren Wertgegenstände der

Fall in der Presse großes Aufsehen erregen würde. Er hatte alles untersucht, alles vermessen, hatte alle Aussagen zu Protokoll genommen, hatte jedermanns Fingerabdrücke gesichert, war bei allen ins Fettnäpfchen getreten und fand sich endlich vor eine Tatsache gestellt, die ihm einfach nicht in den Kopf wollte. Ein Sohn der Wüste war über eine öffentliche Straße zum Haus des Peregrine Smart gekommen, wo in einem Hinterzimmer ein Glas mit künstlichen Goldfischen verwahrt wurde. Dann hatte er ein Gedichtchen gesungen oder aufgesagt, worauf das Glas explodiert war wie eine Bombe und die Fische sich in Luft aufgelöst hatten. Es tröstete den Inspektor auch keineswegs, daß ihm ein ausländischer Graf mit leiser, schnurrender Stimme erklärte, der Erfahrungshorizont des Menschen erweitere sich eben immer mehr.

Die Einstellung der einzelnen Mitglieder des Klübchens war übrigens durchaus typisch. Peregrine Smart selbst hatte am Morgen, als er aus London zurückgekehrt war, von seinem Verlust erfahren. Natürlich räumte er ein, daß es ein böser Schock war. Aber es war kennzeichnend für den Sportsgeist und die Energie, die in dem kleinen Alten steckten und seiner gedrungenen Gestalt immer etwas von einem Kampfhahn gaben, daß sein Interesse am Verlauf der Ermittlungen größer zu sein schien als der Kummer über den Verlust. Dem Mann, der sich Harmer nannte und der eigens angereist war, um die Goldfische zu kaufen, konnte man es nicht übelnehmen, wenn er sich über das Verschwinden der begehrten Ware ärgerte. Doch von seinen recht angriffslustig wirkenden Schnurrbarthaaren und Augenbrauen ging noch etwas anderes aus als nur Enttäuschung. In dem Blick, mit dem er die Gruppe musterte, lag eine Wachsamkeit, die schon an Argwohn grenzte. Das fahle Gesicht des Bankdirektors, der ebenfalls aus London zurück war, aber einen späteren Zug genommen hatte, schien diese blanken, beweglichen Augen anzuziehen wie ein Magnet. Was die anderen beiden Mitglieder des kleinen Kreises anbelangte, so schwieg Pater Brown meist, wenn er nicht angesprochen wurde, und der völlig verdatterte Hartopp pflegte auch dann zu schweigen, wenn jemand das Wort an ihn richtete.

Doch der Graf war nicht der Mann, eine Gelegenheit ungenützt vorbeigehen zu lassen, die seinen Ansichten recht zu geben schien. Mit dem Lächeln des Mannes, der sich darauf versteht, durch Liebenswürdigkeit anderen Leuten auf die Nerven zu gehen, wandte er sich an den Doktor, seinen rationalistischen Gegenspieler.

»Sie werden zugeben, Doktor«, meinte er, »daß zumindest einige der Geschichten, die Sie für so unwahrscheinlich hielten, heute ein wenig realistischer wirken als gestern. Wenn es einem zerlumpten Bettler möglich ist, mit einem Wort ein festes Gefäß in einem Haus zu sprengen, vor dem er steht, könnte man das wohl mit Fug und Recht als Beispiel für meine Bemerkung über geistige Kräfte und materielle Schranken ansehen.«

»Man könnte es auch als ein Beispiel für meinen Hinweis ansehen«, erwiderte der Doktor giftig, »daß schon einige wenige wissenschaftliche Kenntnisse genügen, um solche Tricks zu entlarven.»

»Meinen Sie wirklich, Doktor«, fragte Smart ganz aufgeregt, »daß Sie dieses Rätsel mit Hilfe der Wissenschaft lösen können?«

»Ich kann eine Erklärung für das liefern, was der Graf ein Rätsel nennt«, entgegnete der Arzt, »weil es überhaupt kein Rätsel ist. Ein Ton ist nichts anderes als eine Schwingung, und gewisse Schwingungen vermögen Glas zu zerschneiden, wenn es sich um einen bestimmten Ton und ein bestimmtes Glas handelt. Der Mann hat nicht einfach auf der Straße gestanden und vor sich hin gedacht, was, wie uns der Graf weismachen will, die ideale Art orientalischer Konversation ist. Er hat seine Wünsche laut und deutlich herausgesungen und dabei einem Instrument einen schrillen Ton entlockt. Der Vorgang erinnert mich an zahlreiche Experimente ähnlicher Art, in denen Glas von bestimmter Zusammensetzung zum Zerspringen gebracht wurde.«

»Vielleicht auch an ein Experiment«, sagte der Graf leichthin, »in dem etliche Klumpen aus massivem Gold spurlos verschwinden?«

»Da kommt Inspektor Pinner«, sagte Boyle. »Ganz unter uns, ich glaube, daß er des Doktors natürliche Erklärung ebenso als Märchen betrachten würde wie die übernatürliche des Grafen. Mr. Pinner ist ein großer Skeptiker, vor allem was mich betrifft. Ich glaube, er hat mich in Verdacht.«

»Ich glaube, er hat uns alle in Verdacht«, meinte der Graf.

Doch Boyle nahm die Sache nicht so leicht. Er wandte sich an Pater Brown und bat ihn um einen persönlichen Rat. Mehrere Stunden nach diesem Gespräch befanden sich die beiden auf einem Rundgang um den Dorfanger. Der Priester, der nachdenklich zu Boden geblickt hatte, während Boyle seinen Bericht gab, blieb plötzlich stehen.

»Sehen Sie mal«, sagte er, »hier hat jemand den Gehweg geschrubbt. Nur dieses kleine Stück vor Oberst Varneys Haus. Ich möchte wohl wissen, ob das gestern gemacht worden ist.« Pater Brown sah ernsthaft an dem Haus hinauf, das hoch und schmal war und gestreifte Jalousien in heiteren Farben hatte, die aber mittlerweile schon stark verschossen waren. Dadurch erschienen die Ritzen, durch die man einen Blick ins Innere werfen konnte, fast schwarz vor der vom Morgenlicht vergoldeten Fassade.

»Das ist Oberst Varneys Haus, nicht wahr?« fragte er. »Soweit ich weiß, kommt auch er aus dem Orient. Was ist das für ein Mensch?«

»Ich habe ihn noch nie gesehen«, gab Boyle zurück. »Ich glaube, keiner hat ihn gesehen, bis auf Dr. Burdock, und anscheinend gibt sich auch der Doktor nicht mehr als nötig mit ihm ab.«

»Nun, dann will ich ihm mal einen kurzen Besuch abstatten«, entschied Pater Brown.

Die große Haustür öffnete sich und verschlang den kleinen Priester. Boyle sah ihm benommen und mit der unvernünftigen Angst nach, sie könne sich nicht wieder öffnen. Wenige Minuten später ging sie auf, Pater Brown kam lächelnd heraus und setzte seinen gemächlichen Rundgang fort. Manchmal schien es, als habe er den Fall, um den es ging, ganz vergessen, denn er machte beiläufige Bemerkungen über historische und soziale Fragen oder die Bautätigkeit im Bezirk. Er äußerte sich über die neue Straße, die an der Bank beginnen sollte und für die schon der Boden aufgeschüttet worden war. Dann blickte er ein wenig ziellos über den Dorfanger hin.

»Gemeindeland. Eigentlich sollten die Leute hier ihre Schweine und Gänse weiden lassen – wenn sie Schweine oder Gänse hätten. Aber im Augenblick scheint es hier zum Grasen ohnehin nur Nesseln und Disteln zu geben. Ein Jammer, daß so eine schöne große Wiese zu einer häßlichen Unkrautwüste verkommen ist. Da drüben ist Dr. Burdocks Haus, nicht?«

»Ja«, antwortete Boyle, der bei diesem unerwarteten Nachsatz ein wenig zusammengezuckt war.

»Gut, dann wollen wir mal wieder ins Haus gehen«, sagte Pater Brown.

Während sie im Hause Smart die Treppe hinaufstiegen, berichtete Boyle seinem Begleiter noch einmal ausführlich von dem Drama, das sich dort bei Tagesanbruch abgespielt hatte.

»Sie sind ganz bestimmt nicht wieder eingeschlafen?« fragte Pater Brown. »Dann hätte nämlich jemand auf den Balkon klettern können, während Jameson hinunterlief, um die Tür zu sichern.«

»Nein, bestimmt nicht. Ich bin davon aufgewacht, daß Jameson den Fremden vom Balkon aus anrief, dann hörte ich, wie er hinunterrannte und die Stangen vorlegte, und war mit zwei Schritten selbst auf dem Balkon.«

»Oder er könnte sich von einer anderen Seite an Ihnen vorbeigeschlichen haben... Gibt es außer der Haustür noch weitere Zugänge zum Haus?«

»Nicht daß ich wüßte«, entgegnete Boyle.

»Es ist vielleicht besser, wenn ich selber noch einmal nachsehe«, meinte Pater Brown fast entschuldigend und ging die Treppe wieder hinunter. Boyle blieb im Schlafzimmer stehen und blickte ihm etwas skeptisch nach. Doch schon wenig später war das runde, bäurische Gesicht wieder auf der Treppe zu sehen, mit seinem breiten Lächeln wirkte es ein wenig wie einer dieser ausgehöhlten Kürbisse, in die Kinder Kerzen stellen. »Nein, ich glaube, damit wäre die Frage des Zugangs erledigt«, sagte der Kürbis munter. »So, und nachdem wir nun alles hübsch beieinander haben, können wir uns die Bescherung einmal ansehen. Eine recht merkwürdige Geschichte.«

»Glauben Sie«, fragte Boyle, »daß der Graf oder der Oberst oder einer dieser Orientreisenden etwas damit zu tun hat? Glauben Sie, daß da etwas – etwas Übersinnliches im Spiel ist?«

»Nun, eins kann ich Ihnen sagen«, meinte der Priester. »Wenn der Graf oder der Oberst oder irgendeiner Ihrer Nachbarn sich als Araber verkleidet und sich im Dunkeln vors Haus geschlichen hätte, wäre in der Tat etwas Übernatürliches an der Sache.«

»Wieso? Was soll das heißen?«

»Weil der Araber keine Fußspuren hinterlassen hat«, entgegnete Pater Brown. »Ihre nächsten Nachbarn sind auf der einen Seite der Oberst, auf der anderen der Bankmensch. Zwischen Ihnen und der Bank ist lockere rote Erde, nackte Füße würden sich darin eindrücken wie in nassen Gips und vermutlich überall rote Spuren hinterlassen. Ich habe mich eigens dem pfeffrigen Temperament des Oberst ausgesetzt, um mich zu vergewissern, daß der Gehsteig gestern und nicht heute geschrubbt worden ist. Er war noch so naß, daß auf der ganzen Straße Spuren zu sehen wären, wenn dort heute nacht jemand gegangen wäre. Wäre der Besucher der Graf oder der Doktor von gegenüber gewesen, hätte er natürlich über den Dorfanger kommen können. Barfuß ist das allerdings alles andere als wohltuend, denn der Dorfplatz ist, wie gesagt, ganz von Dornen, Disteln und Brennesseln überwuchert. Er hätte sich mit ziemlicher Sicherheit verletzt und wahrscheinlich Spuren seiner Verletzung hinterlassen. Es sei denn, es war, wie Sie sagen, ein übernatürliches Wesen.«

Boyle sah dem kleinen Priester in das ernsthafte, undeutbare Gesicht.

»Und glauben Sie das?« fragte er schließlich.

»Man muß sich stets einen Erfahrungsgrundsatz vor Augen halten«, sagte Pater Brown nach einer kleinen Pause. »Es gibt Dinge, die sind uns zu nah, als daß wir sie sehen könnten. So kann beispielsweise ein Mensch sich nicht selbst sehen. Oder denken Sie an den Mann, der eine Fliege im Auge hatte, als er durch ein Fernrohr sah, weshalb er konstatierte, auf dem Mond hause ein schrecklicher Drache. Wenn man die genaue Wiedergabe der eigenen Stimme hört, soll sie angeblich wie die Stimme eines Fremden klingen. So ist es auch mit Dingen, die direkt vor uns stehen. Wir sehen sie kaum, und sähen wir sie, würden wir sie für sehr sonderbar halten. Wenn derselbe Gegenstand dann aber in eine mittlere Entfernung rückt, denken wir vermutlich, er sei aus weiter Ferne gekommen. Begleiten Sie mich noch einen Augenblick vors Haus, ich möchte Ihnen zeigen, wie es von einem anderen Standpunkt her wirkt.«

Er hatte sich schon erhoben, und während sie die Treppe hinuntergingen, sprach er ein wenig zögernd weiter, als sei er dabei, laut zu denken.

»Der Graf und die orientalische Atmosphäre sind durchaus Bestandteil des Falles, denn in solchen Dingen hängt alles von der entsprechenden Einstimmung ab. Man kann auf diese Weise jemanden so weit bringen, daß er meint, ein Dachziegel, der ihm auf den Kopf fällt, sei ein babylonischer Ziegelstein mit eingeritzter Keilschrift, der aus den Hängenden Gärten der Semiramis gekommen ist, so daß er gar nicht auf den Gedanken verfällt, sich das Ding genauer anzuschauen, wobei er dann nämlich feststellen würde, daß es genauso aussieht, wie die Ziegel auf seinem eigenen Hausdach. Und in Ihrem Falle –«

»Was ist denn hier los?« unterbrach ihn Boyle und sah mit großen Augen auf die Haustür. »Die Tür ist ja wieder gesichert.«

Die Haustür, durch die sie gerade eingetreten waren, war

nun wieder mit den großen, rostigen Eisenstäben versperrt, die, in Boyles Ausdrucksweise, die Stalltür zu spät verriegelt hatten. Es lag etwas Dunkel-Ironisches darin, daß diese alten Stäbe sich nun wie von selbst hinter ihnen geschlossen hatten und sie gefangenhielten.

»Ja, ich habe die Stangen eben vorgelegt«, sagte Pater Brown beiläufig. »Haben Sie es nicht gehört?«

»Nein«, antwortete Boyle verdutzt, »ich habe nichts gehört.«

»Das dachte ich mir«, entgegnete Pater Brown zufrieden. »Es ist auch gar nicht einzusehen, warum man oben hören sollte, wie die Stangen vorgelegt werden, man braucht ja nur eine Art Haken in eine Öffnung einzupassen, und das geht ganz leicht. Wenn man nah dabei steht, hört man ein dumpfes Klicken, mehr nicht. Zu hören ist oben eigentlich nur das hier...« Er hob die Stange aus der Halterung und ließ sie klirrend zu Boden fallen.

»Wenn man die Stange abnimmt, gibt es Lärm«, sagte Pater Brown mit Nachdruck. »Selbst wenn man es sehr vorsichtig macht.«

»Sie meinen –«

»Ich meine«, bestätigte Pater Brown, »daß Jameson die Tür geöffnet und nicht geschlossen hat. So, und jetzt machen wir die Tür auf und gehen hinaus.«

Als sie auf der Straße unter dem Balkon standen, nahm der kleine Geistliche seine Erklärung so ungerührt wieder auf, als handele es sich um eine Vorlesung über Chemie.

»Ich sagte vorhin, daß man manchmal darauf eingestimmt sein kann, etwas sehr Fernes zu sehen, das in Wirklichkeit sehr nah und einem vielleicht durchaus ähnlich ist. Als Sie auf die Straße hinuntersahen, erblickten Sie ein seltsames, fremdländisch anmutendes Wesen. Sie haben sicher nicht überlegt, was dieses Wesen erblickte, als es zum Balkon hinaufsah.«

Boyle schaute mit großen Augen zum Balkon hoch, ohne zu antworten, und der kleine Priester fuhr fort:

»Sie fanden es sehr romantisch und erstaunlich, daß ein Araber barfuß in unserem zivilisierten Land herumspaziert. Daß Sie gleichfalls mit bloßen Füßen dastanden, ist Ihnen wohl nicht bewußt geworden.«

»Jameson hat die Tür geöffnet«, wiederholte Boyle mechanisch.

»Ganz recht«, bestätigte Pater Brown. »Jameson hat die Tür geöffnet und ist im Nachthemd aus dem Haus gekommen, als Sie auf den Balkon traten. Er hatte sich zwei Gegenstände gegriffen, die Sie schon hundertmal gesehen hatten: Den alten blauen Vorhang, den er sich um den Kopf wickelte, und eins der orientalischen Musikinstrumente, das sie bestimmt aus der Kuriositätensammlung vom Ansehen kannten. Alles übrige war Atmosphäre und Schauspielerei. Ein vorzügliches Stück Schauspielerei sogar, denn in der Kunst des Verbrechens ist er ein Könner von hohem Rang.«

»Jameson?« stieß Boyle ungläubig hervor. »Dieser alte Langweiler, von dem ich nie so recht Notiz genommen habe?«

»Eben«, sagte der Priester. »Genau das macht den Künstler aus. Wenn er sechs Minuten den Zauberer oder den Troubadour spielen konnte, muß es ihm ein leichtes gewesen sein, sechs Wochen den Buchhalter zu spielen.«

»Aber ich weiß immer noch nicht genau, welches Ziel er eigentlich verfolgte.«

»Er hat sein Ziel erreicht – oder zumindest nahezu erreicht«, entgegnete Pater Brown. »Es ging ihm natürlich um die Goldfische, die er schon zwanzig Mal hätte an sich bringen können. Aber hätte er sie einfach gestohlen, wäre jedermann aufgegangen, daß gerade er schon zwanzig Mal Gelegenheit gehabt hatte, sie mitgehen zu lassen. Indem er einen geheimnisvollen Magier vom Ende der Welt auftreten ließ, lenkte er alle Überlegungen in ferne Länder, nach Arabien und Indien, so daß auch Sie kaum glauben können, daß die ganze Sache sich buchstäblich vor Ihrer Haustür abgespielt hat. Sie lag zu nah, um noch erkennbar zu sein.«

»Wenn das stimmt«, sagte Boyle, »ist er ein großes Wagnis eingegangen, denn die Zeit war für ihn sehr knapp. Aber wenn ich es mir genau überlege, habe ich den Mann auf der Straße tatsächlich kein Wort sagen hören, als Jameson vom Balkon aus mit ihm sprach. Und er hätte es wohl wirklich schaffen können, vors Haus zu gehen, ehe ich richtig wach geworden war und auf dem Balkon erschien.«

»Bei jedem Verbrechen hängt das Gelingen davon ab, daß jemand nicht rechtzeitig aufwacht«, antwortete Pater Brown. »Und leider waren wir in mancher Beziehung fast alle nicht rechtzeitig genug wach. So ist es mir ja auch gegangen. Vermutlich hat sich der Bursche davongemacht, bevor sie ihm die Fingerabdrücke abgenommen haben – oder kurz danach.«

»Jedenfalls sind Sie vor allen anderen wach geworden«, sagte Boyle, »und mir wären ohne Sie nie die Augen aufgegangen. Jameson war so korrekt, so farblos, daß ich ihn überhaupt nicht beachtet habe.«

»Hüten Sie sich vor dem Manne, den Sie nicht beachtet haben«, entgegnete der kleine Priester, »denn er ist der einzige, von dem Ihnen wirklich Gefahr droht. Aber auch ich hatte ihn nicht im Verdacht, bis Sie mir sagten, Sie hätten ihn die Eisenstangen vorlegen hören.«

»Jedenfalls haben wir Ihnen sehr zu danken«, sagte Boyle herzlich.

»Sie haben Mrs. Robinson zu danken«, sagte Pater Brown lächelnd.

»Der Haushälterin?« fragte der Sekretär verblüfft.

»Hüten Sie sich mehr noch vor der Frau, die Sie nicht beachtet haben«, gab Pater Brown zurück. »Dieser Mann war ein hochbegabter Verbrecher, er war Schauspieler gewesen und daher ein guter Psychologe. Ein Mann wie unser Graf hört stets nur seine eigene Stimme. Aber dieser Mann konnte unbeachtet von allen zuhören, konnte dabei Material für seinen romantischen Auftritt sammeln und sich überlegen, welchen Ton er anzuschlagen hatte, um Sie in die Irre zu führen. Nur mit der psychologischen Einschätzung von Mrs. Robinson hat er bös danebengegriffen.«

»Das verstehe ich nicht«, meinte Boyle. »Was hat die denn mit der Geschichte zu tun?«

»Jameson hatte nicht mit den Eisenstangen vor der Haustür gerechnet«, sagte Pater Brown. »Er wußte, daß viele Menschen, besonders so sorglose Menschen wie Sie und Ihr Arbeitgeber, sich tagelang damit begnügen zu sagen, dies oder jenes müsse geschehen oder solle getan werden. Aber wenn Sie einer Frau sagen, es müsse etwas getan werden, besteht immer die große Gefahr, daß sie hingeht und es tatsächlich tut.«

Der springende Punkt

Pater Brown behauptete später immer, er habe diesen Fall im Schlaf gelöst. Und das entsprach – wenn auch auf etwas seltsame Art – durchaus der Wahrheit, denn der Fall ereignete sich zu einer Zeit, da er erhebliche Störungen seines Schlafes hinnehmen mußte. Die Störungen äußerten sich in früh am Morgen einsetzendem Gehämmer in dem großen, halbfertigen Haus, das gegenüber seiner Wohnung hochgezogen wurde, einem riesigen Wohngebirge, das vorerst noch von einem Gerüst umgeben war, an dem Schilder die Firma Swindon & Sand als Bauherren und Besitzer auswiesen. Das Gehämmer begann in regelmäßigen Abständen immer wieder aufs neue und ließ sich leicht identifizieren, denn die Firma Swindon & Sand verwendete eine neuartige amerikanische Art von Fußböden aus Zement, die ungeachtet ihrer späteren Glätte, Festigkeit, Undurchlässigkeit und Benutzerfreundlichkeit (wie es in der Werbung hieß) an bestimmten Punkten mit wuchtigem Werkzeug festgemacht werden mußten. Pater Brown suchte sich damit zu trösten, daß er von dem Hämmern mit Sicherheit zur frühesten Frühmesse aufwachte. Daß einem Christenmenschen Hammerschläge als Weckruf dienten, sei, so meinte er, fast so poetisch, als würde er durch ein Glockenspiel geweckt. Alles in allem aber ging ihm die Bautätigkeit vor seiner Tür doch ein wenig auf die Nerven, wenn auch aus einem anderen Grund. Denn wie eine Wolke hing über dem halb fertiggestellten Hochbau die Möglichkeit eines Arbeitskampfes, der von der Presse hartnäckig als Streik bezeichnet wurde. In Wirklichkeit lief er, wenn es denn tatsächlich dazu käme, eindeutig auf eine Aussperrung hinaus. Daß es dazu kommen könnte, machte Pater Brown große Sorgen. Und es ist die Frage, ob Gehämmer einem mehr auf die Nerven geht, weil man damit rechnen muß, daß es ewig so weitergeht, oder weil man damit rechnen muß, daß es jeden Augenblick aufhören kann.

»Handelte es sich nur um meinen persönlichen Geschmack und meine persönliche Phantasie«, sagte sich Pater Brown und sah durch seine eulengleichen Brillengläser zu dem Gebäude hoch, »wünschte ich mir wohl, daß die Arbeit daran aufhörte. Ich wünschte, jeder Bau würde aufhören, solange das Gerüst noch steht. Es ist fast schade, daß man Häuser überhaupt zu Ende baut. Sie sehen mit diesem Filigranwerk aus lichtem Holz so frisch und hoffnungsfroh aus, alles leuchtet und glänzt in der Sonne, und wenn einer es fertigstellt, macht er oft genug eine Gruft daraus.«

Als er sich von dem Gegenstand seiner Betrachtung abwandte, hätte er fast einen Mann über den Haufen gerannt, der quer über die Straße auf ihn zugeschossen kam. Er kannte ihn nur flüchtig, immerhin aber doch genügend, um ihn unter den gegebenen Umständen als einen Unheilskünder anzusehen. Mr. Mastyk war ein plumper Mensch mit einem Quadratschädel, der wenig Europäisches an sich hatte, und sein Besitzer war so stutzerhaft gekleidet, daß er übertrieben europäisch wirkte. Pater Brown hatte ihn unlängst im Gespräch mit dem jungen Sand von der Baufirma gesehen, und das wollte ihm nicht gefallen. Dieser Mastyk war der Leiter einer in der englischen Industriepolitik ziemlich neuen Organisation, einer kleinen Armee von Arbeitskräften, die keine Gewerkschaftsmitglieder und zum größten Teil Ausländer waren und in ganzen Kolonnen an verschiedene Firmen ausgeliehen wurden. Offenbar lungerte er hier in der Hoffnung herum, mit der Baufirma ein Geschäft abschließen zu können. Kurzum, es war zu befürchten, daß die Gewerkschaft ausgeschaltet und der Betrieb mit Illegalen versorgt werden würde. Pater Brown war zu einigen der Besprechungen hinzugezogen worden, da beide Seiten ihn in gewissem Sinne für sich beanspruchten. Und da die Kapitalisten sämtlich berichteten, sie wüßten bestimmt, daß er Bolschewist sei, während die Bolschewisten einhellig beteuerten, er sei Reaktionär und auf bourgeoise Ideen eingeschworen, liegt die Vermutung nahe, daß er die Stimme der Vernunft hatte vernehmen lassen, ohne daß eine der beiden Parteien erkennbare Wirkung gezeigt hätte.

Die Nachricht aber, die Mastyk ihm jetzt brachte, war dazu angetan, alle aus den eingefahrenen Bahnen der Diskussion herauszureißen.

»Die Herren möchten, daß Sie gleich mal rüberkommen«, sagte Mastyk in seinem stark akzentuierten Englisch. »Es handelt sich um eine Morddrohung.«

Wortlos folgte Pater Brown seinem Führer mehrere Treppen und Leitern hinauf zu einer Plattform in dem unvollendeten Gebäude, auf dem die ihm mehr oder weniger bekannten leitenden Herren der Baufirma versammelt waren. Selbst ihr früherer führender Kopf war da, der seit einiger Zeit den Kopf eher in den Wolken hatte. Will sagen, diesen Kopf zierte neuerdings eine Krone, die ihn den Blicken gewöhnlicher Sterblicher verbarg. Lord Stanes hatte sich nämlich nicht nur vom Geschäft zurückgezogen, sondern war Mitglied des Oberhauses geworden und damit gänzlich in höhere Gefilde entschwunden. Wenn er sich, was selten geschah, doch einmal sehen ließ, war er gelangweilt und mürrisch. Daß er heute zusammen mit Mastyk da war, ließ nichts Gutes ahnen. Lord Stanes war ein hagerer Mann mit schmalem Kopf und tiefliegenden Augen, dessen dünnes, helles Haar sich zu lichten begann. Nie war Pater Brown einem Menschen begegnet, der so schwer faßbar schien. Er besaß in höchstem Maße die Fähigkeit, die einem Oxford vermittelt, in einem Ton »Gewiß haben Sie recht« zu sagen, aus dem man die Bedeutung »Gewiß glauben Sie, Sie hätten recht«, geradezu heraushören mußte, oder die einfache Frage: »Glauben Sie?« so zu stellen, daß sie den beißenden Zusatz nahelegte: »Sieht Ihnen ähnlich.« Aber Pater Brown hatte den Eindruck, daß der Lord nicht nur gelangweilt, sondern auch ein wenig verbittert war. Ob über die Tatsache, daß man ihn aus dem Olymp heruntergeholt hatte, um ihn mit Lohngezänk zu behelligen, oder nur darüber, daß er die Dinge nicht mehr entscheidend beeinflussen konnte, war schwer zu sagen.

Im großen und ganzen war Pater Brown das eher bourgeois

eingestellte Element der Firma – in Gestalt von Sir Hubert Sand und dessen Neffen – lieber; allerdings hatte er insgeheim seine Zweifel daran, ob die beiden sich viel um Ideologien kümmerten. Sir Hubert Sand hatte es in der Presse zu einer gewissen Berühmtheit gebracht, sowohl als Sportmäzen als auch wegen seines patriotischen Verhaltens während so mancher Krise im und nach dem Weltkrieg. Er hatte sich, obwohl er nicht mehr der Jüngste war, in Frankreich ausgezeichnet und war nach dem Krieg als siegreicher Industriekapitän mit großen Erfolgen bei der Bereinigung von Schwierigkeiten mit Munitionsarbeitern herausgestellt worden. Man hatte ihn einen starken Mann genannt, aber das war nicht seine Schuld. Tatsächlich war er ein echter, rechter, unkomplizierter Engländer, ein ausgezeichneter Schwimmer, ein Gutsherr, wie er sein soll, ein hervorragender Reserveoffizier. Seiner Erscheinung haftete etwas Militärisches an. Er wurde allmählich dick, hielt sich aber sehr gerade. Sein Schnurrbart und sein gelocktes Haar waren noch braun, während die Gesichtsfarbe viel von ihrer Frische eingebüßt hatte. Sein Neffe war ein stämmiger Jüngling von draufgängerischem, um nicht zu sagen naßforschem Wesen. Sein verhältnismäßig kleiner Kopf saß auf einem gedrungenen Hals, als sei es seine Gewohnheit, Hindernisse mit dem Kopf voran anzugehen, ein Bild, dem das unsicher auf seiner kampflustigen Himmelfahrtsnase balancierende Pincenez einen knabenhaften und leicht komischen Zug verlieh.

All das hatte Pater Brown schon viele Male gesehen. Heute erblickten sie alle etwas völlig Neues. In der Mitte des Gerüstes war ein großer, flatternder Zettel befestigt, auf dem in unbeholfenen Druckbuchstaben etwas geschrieben stand. Es sah aus, als sei der Verfasser des Schreibens kaum mächtig oder als habe er diesen Eindruck zumindest erwecken oder parodieren wollen. Der Text lautete: »Der Arbeiterrat warnt Hubert Sand davor, die Löhne zu kürzen und Arbeiter auszusperren. Falls morgen Kündigungen ausgesprochen werden, wird das Volk Sie mit dem Tod bestrafen.«

Lord Stanes trat zurück, nachdem er den Zettel gelesen hatte, sah seinen Partner an und sagte in recht seltsamem Ton: »Also dich wollen sie ermorden. Offenbar bin ich ihnen keinen Mord wert.«

Es geschah Pater Brown manchmal, daß ihn wie ein elektrischer Schlag ein ganz und gar phantastischer Gedanke durchzuckte. In diesem Augenblick hatte er das seltsame Gefühl, als könne der Mann, der eben gesprochen hatte, nicht ermordet werden, weil er schon tot war. Ein völlig sinnloser Gedanke, wie er bereitwillig zugab. Aber immer wieder überlief es ihn kalt angesichts der nüchtern-kühlen Distanz des adligen Seniorpartners, seiner Leichenblässe, seinem unfreundlichen Blick. »Der Bursche hat grüne Augen«, dachte er, »und sieht aus, als habe er grünes Blut.«

Fest stand, daß Sir Hubert Sand kein grünes Blut hatte. Sein Blut war so rot wie lebendiges Blut nur sein kann, und die verständliche und gerechte Empörung eines gutmütigen Menschen, der sich unschuldig fühlt, ließ es in seiner ganzen Röte in die welken, wettergegerbten Wangen aufsteigen.

»In meinem ganzen Leben«, sagte er mit leicht schwankender Stimme, »ist mir so was noch nicht vorgekommen. Wir mögen verschiedener Meinung gewesen sein –«

»In dieser Sache kann man nur einer Meinung sein«, fuhr der Neffe ungestüm dazwischen. »Ich habe versucht, im guten mit ihnen auszukommen, aber das ist denn doch zu stark.«

»Sie glauben doch nicht«, begann Pater Brown, »daß Ihre Arbeiter –«

»Meinungsverschiedenheiten hat es, wie gesagt, gegeben«, meinte der alte Sand mit noch immer etwas zitternder Stimme. »Gott weiß, daß ich mich nie mit dem Gedanken habe anfreunden können, englischen Arbeitern mit billigerer Konkurrenz zu drohen –«

»Das hat uns allen nicht gefallen«, erklärte der junge Mann, »aber so, wie ich dich kenne, Onkel, ist die Sache damit entschieden.«

Nach einer kleinen Pause setzte er hinzu: »Gewiß, in Einzelheiten hat es Differenzen zwischen uns gegeben, aber was die Realpolitik angeht –«

»Mein lieber Junge«, sagte sein Onkel beruhigend, »ich hatte immer die feste Hoffnung, daß es nie zu einem echten Zerwürfnis kommen würde.« Woraus jeder, der etwas von den Engländern versteht, mit Recht folgern wird, daß es sehr beträchtliche Differenzen gegeben hatte. Onkel und Neffe unterschieden sich in ihren Ansichten fast so stark wie ein Engländer von einem Amerikaner. Der Onkel sah sein sehr englisches Ideal darin, aus dem Geschäft hinauszukommen und sich eine Art Alibi als Gutsherr zu schaffen. Der Neffe verfolgte das amerikanische Ideal, immer weiter ins Geschäft hineinzukommen und sich mit seinen Mechanismen vertraut zu machen wie ein Mechaniker. Tatsächlich hatte er mit den meisten Mechanikern der Firma schon zusammengearbeitet und war mit den Arbeitsverfahren und Kunstgriffen der Branche vertraut. Amerikanisch war auch, daß er dies zum Teil machte, um als Arbeitgeber seine Leute bei der Stange zu halten, zum anderen Teil aber auch, um sich aus reichlich unbestimmten Erwartungen heraus mit ihnen auf eine Stufe zu stellen oder mit einem gewissen Stolz Arbeiter unter Arbeitern zu sein. Deshalb hatte er oft in technischen Fragen die den politischen oder sportlichen Interessen seines Onkels völlig fernlagen, fast den Standpunkt eines Arbeitervertreters eingenommen. Oft genug war Henry praktisch in Hemdsärmeln aus der Werkstatt gekommen, um irgendein Zugeständnis bei den Arbeitsbedingungen zu verlangen. Gerade deshalb wirkte seine Reaktion, die jetzt in die entgegengesetzte Richtung tendierte, besonders alarmierend.

»Diesmal, verdammt noch mal, haben sie sich selbst ausgesperrt«, erklärte er heftig. »Nach so einer Drohung kann man nur hart bleiben. Es hilft nichts, wir müssen sie alle rauswerfen, auf der Stelle. Sonst lacht uns die ganze Welt aus.«

Der alte Sand schien nicht weniger empört zu sein. Trotzdem gab er bedächtig zu bedenken: »Man wird mich heftig kritisieren ...«

»Kritisieren!« wiederholte der junge Mann schrill. »Kritisieren, wenn du einer Morddrohung Trotz bietest? Was glaubst du, wie sie dich erst kritisieren werden, wenn du klein beigibst? Über die Schlagzeilen kannst du dich jetzt schon freuen. Großunternehmer läßt sich terrorisieren. Arbeitgeber durch Morddrohung gefügig gemacht.«

»Besonders«, sagte Lord Stanes mit einem unangenehmen Unterton, »besonders, nachdem er so viele Schlagzeilen als ›Starker Mann der Stahlbauindustrie‹ für sich hat verbuchen können.«

Sand war wieder dunkelrot angelaufen, und seine Stimme klang gepreßt unter dem dichten Schnurrbart hervor. »Das stimmt natürlich. Wenn diese Rabauken glauben, ich hätte Angst –«

In diesem Augenblick wurde das Gespräch unterbrochen. Ein schlanker junger Mann kam rasch auf sie zu. Das erste, was einem an ihm auffiel, war der Umstand, daß er zu den Menschen gehörte, von denen Männer – und auch Frauen – zu sagen pflegen, sie seien fast zu schön, um wahr zu sein. Er hatte prachtvolles dunkles Lockenhaar und ein seidiges Schnurrbärtchen und sprach wie ein Gentleman, aber fast zu vornehm und deutlich akzentuiert. Pater Brown erkannte ihn sogleich als Rupert Rae, den Sekretär Sir Huberts, den er oft in dessen Haus gesehen hatte, noch nie aber mit so fahrigen Bewegungen und so gefurchter Stirn.

»Entschuldigen Sie, Sir«, sagte er zu seinem Chef, »aber da drüben lungert ein Mann herum, der sich nicht abweisen läßt. Er will nur einen Brief abgeben, aber er schwört Stein und Bein, er müsse ihn persönlich bei Ihnen abliefern.«

»Er war also zuerst bei mir zu Hause?« Sand warf seinem Sekretär einen raschen Blick zu. »Sie waren wohl den ganzen Vormittag dort?«

»Ja, Sir«, sagte Rupert Rae.

Es gab eine kleine Pause, dann befahl Sir Hubert Sand kurz, den Mann zu ihm zu führen, was sogleich geschah.

Niemand, nicht einmal die anspruchsloseste Lady, hätte behaupten können, der Neuankömmling sei zu schön, um wahr zu sein. Er hatte sehr große Ohren, ein Gesicht wie ein Frosch und einen fast unheimlich starren Blick, was sich Pater Brown dadurch erklärte, daß der Mann ein Glasauge hatte. Seine Phantasie hätte ihm am liebsten gleich zwei

Glasaugen zugeschrieben, so glasig war der Blick, mit dem er die Gruppe fixierte. Doch Pater Browns Erfahrung hatte – im Gegensatz zu seiner Phantasie – mehrere natürliche Erklärungen für diesen unnatürlich starren Blick bei der Hand, zum Beispiel den Mißbrauch alkoholischer Getränke. Der Mann war klein und schäbig gekleidet. In der einen Hand hielt er einen großen, steifen Hut, in der anderen einen großen, versiegelten Umschlag.

Sir Hubert Sand sah ihn an, dann sagte er ruhig, aber mit einer Stimme, die für seine Leibesfülle erstaunlich klein wirkte: »Ach, Sie sind es.« Er streckte die Hand nach dem Brief aus, sah sich entschuldigend um, dann riß er den Umschlag auf und las. Als er fertig war, steckte er den Brief in die Jackentasche und sagte rasch und ziemlich schroff: »Tja, ihr habt wohl recht, die Sache ist damit erledigt. Jetzt sind keine Verhandlungen mehr möglich, wir könnten die Löhne, die sie fordern, ohnehin nicht zahlen. Aber ich muß noch mit dir besprechen, Henry, wie – wie wir die Sache am besten abwickeln.«

»Ist gut«, sagte Henry, vielleicht ein bißchen verstimmt, als hätte er die Sache lieber allein abgewickelt. »Ich bin nach dem Essen oben in Nummer 188, will mal sehen, wie weit sie da gekommen sind.«

Der Mann mit dem Glasauge – falls es ein Glasauge war – stelzte steifbeinig von dannen, und das Auge Pater Browns, das keinesfalls aus Glas war, folgte ihm nachdenklich, als er sich zwischen den Leitern hindurchwand und auf der Straße verschwand.

Am folgenden Morgen widerfuhr Pater Brown etwas Ungewöhnliches: Er verschlief. Zumindest fuhr er aus dem Schlaf mit der subjektiven Überzeugung hoch, daß er zu spät dran sei. Das kam zum Teil daher, daß er sich erinnerte, so wie man sich an einen Traum erinnert, daß er zur üblichen Zeit halb aufgewacht und dann wieder eingeschlafen war, was fast jedem von uns einmal passiert, bei Pater Brown aber höchst unüblich war. Und er war später überzeugt – mit jener mystischen Seite seines Wesens, die normalerweise der Welt abgekehrt blieb –, daß auf dieser einsamen, dunklen Trauminsel zwischen dem ersten und dem zweiten Erwachen die Lösung des Falles lag wie ein vergrabener Schatz.

Jetzt aber sprang er schleunigst auf, fuhr in seine Sachen, griff sich seinen großen, keulenförmigen Regenschirm und eilte auf die Straße, wo der kalte, weiße Morgen wie splitterndes Eis über dem hohen, dunklen Neubau schwebte. Zu seiner Überraschung lagen die Straßen in diesem kalten kristallenen Licht fast leer da. Bei diesem Anblick wurde ihm klar, daß es unmöglich so spät sein konnte, wie er gefürchtet hatte. Dann wurde die Stille unvermittelt gebrochen. Wie ein Pfeil schoß ein langer grauer Wagen heran und hielt vor dem verlassenen Neubau. Dem Wagen entstieg Lord Stanes mit gewohnt unbeteiligter Miene, zwei große Koffer in der Hand. Im gleichen Augenblick ging die Tür auf, und es schien, als ziehe sich jemand, der gerade hatte auf die Straße treten wollen, wieder ins Haus zurück. Stanes mußte zweimal rufen, ehe die Person ihre ursprüngliche Absicht ausführte, auf die Schwelle zu treten. Die beiden hielten ein kurzes Zwiegespräch, das damit endete, daß der Lord seine Koffer nach oben brachte und sein Gesprächspartner ans Tageslicht kam. Das aber fiel auf die breiten Schultern und den vorgestreckten Kopf des jungen Henry Sand.

Pater Brown dachte sich nichts weiter bei dieser etwas sonderbaren Szene, bis zwei Tage später der junge Mann in seinem Wagen vorfuhr und den Priester beschwor, mit ihm zu kommen. »Etwas Schreckliches ist passiert«, sagte er, »und ich rede lieber mit Ihnen darüber als mit Stanes. Neulich kam Stanes mit dieser verrückten Idee, in einer der gerade fertiggestellten Wohnungen zu kampieren. Deshalb mußte ich frühmorgens hin, um ihm die Tür aufzumachen. Aber das ist jetzt nicht wichtig. Ich möchte Sie bitten, sofort in das Haus meines Onkels zu kommen.«

»Ist er krank?« fragte der Priester rasch.

»Ich glaube, er ist tot«, antwortete der Neffe.

»Sie glauben, er ist tot?« wiederholte Pater Brown ziemlich scharf. »Haben Sie einen Arzt geholt?«

»Nein. Ich habe nämlich gar keinen Patienten. Es hätte

keinen Zweck, einen Arzt um die Untersuchung der Leiche zu bitten, denn die Leiche ist weggelaufen. Aber ich fürchte, ich weiß, wohin sie ist. Nämlich... wir haben es zwei Tage geheimgehalten... er ist verschwunden.«

»Wäre es nicht besser«, sagte Pater Brown in beruhigendem Ton, »wenn Sie mir die Geschichte von Anfang an erzählen würden?«

»Ich weiß, es ist gemein, so respektlos von dem alten Knaben zu reden«, gab Henry Sand zurück. »Aber das macht die Aufregung. Ich versteh mich nicht darauf, etwas geheimzuhalten. Kurz und gut... Nein, nicht gut, aber Sie wissen schon, wie ich es meine. Kurzum: Mein unglücklicher Onkel hat Selbstmord begangen.«

Der Wagen brauste bereits durch die letzten Ausläufer der Stadt, die an die ersten Ausläufer von Wald und Feld angrenzten. Nach einer halben Meile waren sie am Parktor von Sir Hubert Sands Landsitz angekommen, der inmitten dichter Buchenwälder lag. Das Anwesen bestand in der Hauptsache aus einem kleinen Park und einem großen Ziergarten, der in Terrassen von klassischem Pomp bis zum Ufer des Flusses abfiel. Als sie vor dem Haus angekommen waren, führte Henry den Priester hastig durch die schönen georgianischen Räume bis zum gegenüberliegenden Ausgang. Schweigend stiegen sie auf dem ziemlich steil abfallenden, von Blumen gesäumten Weg die Gartenterrassen hinunter. Wie aus der Vogelschau sahen sie das blasse Band des Flusses vor sich. Sie kamen gerade um die Ecke, vorbei an einer riesigen klassizistischen Urne mit einer etwas unpassenden Geraniengirlande, als Pater Brown unter sich Bewegung in den Büschen und Bäumen sah, als flöge eine Schar erschreckter Vögel auf.

Zwei Gestalten schienen in verschiedene Richtungen davonzuhuschen. Die eine verschwand rasch im Schatten der Büsche, die andere kam ihnen entgegen. Sie blieben stehen und verstummten unwillkürlich. Dann sagte Henry Sand auf seine unbeholfene Art: »Ich glaube, Sie kennen Pater Brown... Lady Sand.«

Pater Brown kannte sie, aber in diesem Augenblick hätte er

sie fast nicht erkannt. Ihr Gesicht war bleich und verzerrt und glich einer tragischen Maske. Sie war viel jünger als ihr Mann, aber in diesem Augenblick sah sie älter aus als irgend etwas in diesem alten Haus und diesem alten Garten. Und mit leisem, fast unbewußtem Erschrecken dachte Pater Brown daran, daß sie ihrer Herkunft nach tatsächlich älter und die eigentliche Besitzerin des Anwesens war. Es hatte ihrer Familie, verarmten Adeligen, gehört, und sie hatte es durch die Ehe mit einem erfolgreichen Geschäftsmann wieder hochgebracht. Wie sie so dastand, sah sie aus, als sei sie geradewegs der Ahnengalerie entstiegen oder als sei sie die Weiße Frau des Hauses. Ihr blasses Gesicht war von jenem spitzen Oval, wie man es auf alten Bildern der Schottenkönigin Mary sieht. Der Ausdruck, der darauf lag, ließ sich durch den Umstand, daß ihr Mann unter Selbstmordverdacht verschwunden war, nur unzulänglich erklären. Pater Brown fragte sich, auch wieder halb unbewußt, mit wem sie wohl unter den Bäumen gesprochen hatte.

»Sie haben das Schreckliche wohl schon erfahren«, sagte sie mit einem verzweifelten Versuch, gefaßt zu erscheinen. »Offenbar ist der arme Hubert unter der Verfolgung dieser gewissenlosen Umstürzler zusammengebrochen und so weit gebracht worden, daß er sich das Leben genommen hat. Ich weiß nicht, ob Sie etwas tun können. Oder ob es möglich ist, diese verbrecherischen Bolschewiken dafür zur Verantwortung zu ziehen, daß sie ihn in den Tod gehetzt haben?«

»Ich bin zutiefst bestürzt, Lady Sand«, sagte Pater Brown. »Und auch, das muß ich gestehen, etwas verwirrt. Sie sprechen von Verfolgung. Glauben Sie, daß er sich allein durch diesen Zettel hat in den Tod treiben lassen?«

Die Miene der Lady verfinsterte sich. »Ich vermute, daß es außer diesem Zettel noch andere Nachstellungen gegeben hat.«

»Wie man sich doch irren kann«, sagte der Priester traurig. »Ich hätte nie gedacht, daß er so unlogisch sein würde zu sterben, um dem Tod zu entgehen.«

Sie sah ihn ernst an. »Ich hätte es auch nicht geglaubt, hätte ich es nicht von seiner eigenen Hand geschrieben gesehen.«

»Wo?« stieß Pater Brown hervor und zuckte wie ein angeschossenes Kaninchen.

»Ja«, bekräftigte Lady Sand ruhig. »Er hat einen Abschiedsgruß hinterlassen, ich fürchte also, es ist kein Zweifel möglich.«

Und sie ging allein den Hang hinauf, mit der ganzen Unnahbarkeit der Weißen Frau.

Pater Browns Brille wandte sich in stummer Frage Henry Sands Zwicker zu. Nach kurzem Zögern sagte der junge Mann in seiner tastend-unbeholfenen Art: »Die Sache scheint jetzt ziemlich klar zu sein. Er war immer ein begeisterter Schwimmer und ist jeden Morgen im Schlafrock zum Fluß gegangen, um ein paar Längen zu machen. Ja, er kam wie üblich herunter und hat seinen Schlafrock am Ufer liegenlassen. Da liegt er noch. Aber er hat auch eine Nachricht hinterlassen, daß dies sein letztes Bad im Fluß sei, dann käme der Tod – oder so ähnlich.«

»Wo ist die Nachricht?« fragte Pater Brown.

»Er hat sie in den Baum geritzt, der ins Wasser hineinhängt, da, wo der Schlafrock liegt. Kommen Sie, ich zeig's Ihnen.«

Pater Brown lief das letzte abschüssige Stück zum Ufer hinunter bis zu dem Baum, dessen Zweige fast ins Wasser tauchten. In die glatte Rinde waren deutlich sichtbar die Worte eingeritzt: »Noch einmal schwimmen und dann untergehen. Lebt wohl. Hubert Sand.«

Pater Browns Blick ging langsam am Ufer entlang und blieb an einem prächtigen rotgoldenen Gewand mit goldenen Quasten hängen. Der Priester hob den Schlafrock auf und drehte ihn herum. In diesem Augenblick kreuzte eine hochgewachsene, dunkle Gestalt sein Gesichtsfeld, die von einer Baumgruppe zur anderen schlich, als folge sie der Spur der eben verschwundenen Frau. Es konnte nur der Gefährte sein, von dem sie sich gerade getrennt hatte, und er erkannte jetzt auch, daß es Rupert Rae, der Sekretär des Toten, war.

»Es wäre natürlich möglich, daß er sich im letzten Augenblick entschlossen hat, die Nachricht zu hinterlassen«, sagte

Pater Brown, ohne aufzusehen und noch immer das rotgoldene Gewand betrachtend. »In Bäume geritzte Liebesbotschaften kennen wir alle. Warum also nicht auch eine Todesbotschaft?«

»Er hatte in den Taschen seines Schlafrocks wohl nichts bei sich«, mutmaßte der junge Sand. »Und es liegt nahe, etwas in einen Baum zu ritzen, wenn man weder Feder noch Papier oder Tinte hat.«

»Feder, Papier und Tinte... Das klingt wie aus einem Lehrbuch der französischen Sprache«, bemerkte der Priester mit melancholischem Spott. »Aber daran dachte ich eigentlich nicht.« Nach einer kleinen Pause meinte er in verändertem Ton: »Ehrlich gesagt habe ich mir überlegt, ob es nicht ganz natürlich ist, daß jemand eine Botschaft in einen Baum ritzen würde, auch wenn er reichlich Federn, Tinte und Papier bei sich hätte.«

Henry sah ihn verdutzt durch das schief auf seiner Himmelfahrtsnase sitzende Pincenez an. »Was soll das heißen?« fragte er scharf.

»Nicht gerade, daß der Briefträger statt Briefe Baumstämme befördert«, sagte Pater Brown langsam, »oder daß man einem Freund eine Nachricht zukommen läßt, indem man eine Briefmarke auf eine Fichte klebt. Es müßte schon eine besondere Situation vorliegen, oder es müßte ein besonderer Mensch sein, der dieser Art der Korrespondenz den Vorzug gibt. Aber wenn wir von so einer Situation und von so einem Menschen ausgehen, bleibe ich bei dem, was ich gesagt habe. Er würde auch einen Baum beschreiben, wenn die ganze Welt aus Papier und das ganze Meer aus Tinte wäre, wenn in diesem Fluß unverwischbare Tinte flösse oder in diesem Wald statt der Bäume Federkiele und Füllfedern wüchsen.«

Man sah dem jungen Mann an, daß ihm die phantasievolle Bilderwelt des Priesters ein wenig unheimlich war, sei es, weil er sie unverständlich fand, sei es, weil Verständnis in ihm aufzudämmern begann.

»Sehen Sie«, sagte Pater Brown und drehte langsam den Schlafrock um, »man erwartet von niemandem Schönschrift, wenn er Worte in einen Baum ritzt. Und wenn der Mann nicht der Mann wäre... ich weiß nicht, ob ich mich verständlich ausdrücke... Na so was!«

Er blickte auf den roten Schlafrock hinunter, und es sah fast so aus, als habe das Rot auf seine Finger abgefärbt, aber die beiden Gesichter, die sich darüber beugten, waren um einen Schein blasser geworden.

»Blut«, sagte Pater Brown. Und einen Augenblick herrschte, bis auf das melodische Murmeln des Flusses, tiefe Stille.

Henry Sand machte mit Geräuschen, die nichts weniger als melodisch waren, Kehle und Nase frei. Dann fragte er ziemlich heiser:

»Wessen Blut?«

»Meins«, sagte Pater Brown, aber er lächelte nicht.

Dann setzte er hinzu: »In dem Kleidungsstück war eine Nadel, und ich habe mich gestochen. Nur ein Punkt – aber vielleicht ist es der springende Punkt.« Er saugte an seinem Finger wie ein Kind.

»Sehen Sie«, sagte er nach einer erneuten Pause. »Der Schlafrock war zusammengelegt und mit Nadeln zusammengesteckt, niemand hätte ihn auseinanderfalten können, ohne sich zu stechen. Geradeheraus gesagt, Hubert Sand hat diesen Schlafrock nie getragen. Ebensowenig, wie er etwas in diesen Baum geritzt oder sich in diesem Fluß ertränkt hat.«

Das schief sitzende Pincenez fiel mit leisem Klirren von Henrys Himmelfahrtsnase herunter. Ansonsten war er wie versteinert vor Überraschung.

»Womit wir«, fuhr Pater Brown munter fort, »wieder bei dem Unbekannten sind, der eine Vorliebe für das Beschriften von Bäumen hat, was mich übrigens an Hiawathas Bilderschrift erinnert. Sand hatte Zeit, soviel er wollte, bevor er sich ertränkte. Warum hat er nicht, wie jeder vernünftige Mann, eine Nachricht für seine Frau hinterlassen? Weil er die Handschrift des Ehemannes hätte fälschen müssen, was eine heikle Sache geworden ist, nachdem es diese lästigen Schriftsachverständigen gibt. Aber von niemandem, der Druckbuchstaben in einen Baum schnitzt, wird man verlangen, daß er die eigene, geschweige denn eine fremde Handschrift nachmacht. Dies ist kein Selbstmord, Mr. Sand. Das ist Mord.«

Heide und Unterholz knisterten und knackten, als der kräftige junge Mann sich wie ein Leviathan daraus erhob und finster, mit vorgestrecktem Kopf, vor sich hinstarrte.

»Ich verstehe mich nicht darauf, etwas geheimzuhalten«, sagte er, »und ich habe so was schon lange vermutet. Ehrlich gesagt, es ist mir schwergefallen, zu dem Burschen auch nur höflich zu sein. Oder eigentlich zu beiden.«

»Darf ich fragen, was Sie damit meinen?« Der Priester sah ihn ernst an.

»Ich meine«, sagte Henry Sand, »daß Sie mir den Mord aufgezeigt haben und ich Ihnen wohl die Mörder zeigen könnte.«

Pater Brown schwieg, und der andere fuhr etwas sprunghaft fort: »Sie haben gesagt, daß Leute manchmal Liebesbotschaften in Bäume ritzen. Auch an diesem ist so was zu sehen. Da unter den Blättern sind zwei ineinander verschlungene Monogramme versteckt. Sie wissen wohl, daß Lady Sand bereits lange vor ihrer Heirat die Erbin dieses Anwesens war, und sie hat diesen verdammten Dandy von Sekretär damals schon gekannt. Vermutlich haben sie sich hier getroffen und ihre Liebesschwüre in den Baum geritzt. Später haben sie ihn dann zu einem anderen Zweck benutzt. Aus Sentimentalität vielleicht – oder aber einfach aus Sparsamkeit.«

»Was für schreckliche Menschen«, sagte Pater Brown.

»Es wären nicht die ersten schrecklichen Menschen in der Geschichte oder im Polizeibericht«, antwortete Sand erregt. »Gibt es nicht Liebespaare, die Liebe zu etwas Schrecklicherem machen als den Haß? Denken Sie an Bothwell und dergleichen blutige Legenden.«

»Ich kenne die Legenden um Bothwell«, entgegnete der Priester. »Und ich weiß auch, daß es nur Legenden sind. Aber es stimmt natürlich, daß hin und wieder Ehemänner auf diese Art und Weise beseitigt worden sind. Übrigens – wie haben sie ihn beseitigt? Wo haben sie die Leiche versteckt?«

»Wahrscheinlich haben sie ihn ertränkt oder die Leiche ins

Wasser geworfen«, schnaubte der junge Mann ungeduldig.

Pater Brown blinzelte nachdenklich. »Ein Fluß ist ein gutes
Versteck für eine imaginäre Leiche. Um eine wirkliche
Leiche verschwinden zu lassen, ist er ausgesprochen unge-
eignet. Ich meine, es ist leicht gesagt, daß man die Leiche
nur in den Fluß zu werfen braucht, der sie dann schon ins
offene Meer hinaustragen wird. Aber hätte man den Toten
wirklich hineingeworfen, wette ich hundert zu eins, daß er
vorher an Land gespült würde. Ich denke mir, daß die
beiden einen besseren Plan hatten, sonst hätte man den
Toten inzwischen gefunden. Und wenn es Spuren von Ge-
walttätigkeit gab –«

»Ach, lassen wir doch die Leiche«, sagte Henry einigermaßen gereizt. »Ist die Schrift an diesem teuflischen Baum nicht
Beweis genug?«

»Bei jedem Mord ist die Leiche der wichtigste Beweis«,
entgegnete der Geistliche. »In neun von zehn Fällen ist das
Verstecken der Leiche das schwierigste Problem.«

Es gab eine Pause. Pater Brown breitete den roten Schlafrock
aus und legte ihn in das frischgrüne Gras des sonnenbe-
schienenen Ufers. Er sah nicht auf. Doch schon seit einiger
Zeit hatte sich die Landschaft für ihn verändert, und zwar
durch die Gegenwart eines Dritten, der still wie ein Stand-
bild im Garten stand.

»Wie erklären Sie sich übrigens«, sagte er mit gesenkter
Stimme, »den kleinen Mann mit dem Glasauge, der Ihrem
armen Onkel gestern diesen Brief brachte? Mir schien, Sir
Hubert war wie umgewandelt, nachdem er ihn gelesen hatte.
Deshalb habe ich mich nicht gewundert, als ich hörte, er
habe Selbstmord begangen. Wenn ich mich nicht sehr irre,
war der Bursche ein heruntergekommener Privatdetektiv.«

»Das kann schon sein«, sagte Henry zögernd. »Es kommt
wohl vor, daß bei solchen Ehetragödien von dem Mann ein
Detektiv engagiert wird. Er hatte wohl den Beweis ihrer
Untreue erhalten und –«

»Ich würde nicht so laut reden«, sagte Pater Brown. »Ihr

Detektiv beehrt uns etwa einen Meter hinter den Büschen mit seiner Aufmerksamkeit.«

Sie sahen auf, und richtig, da stand der Zwerg mit dem Glasauge und fixierte sie mit seinem starren Blick. Inmitten der wächsernen Blüten des klassizistischen Gartens wirkte er noch grotesker.

Henry Sand rappelte sich mit einer für seine Statur erstaunlichen Geschwindigkeit hoch, fragte den Mann sehr schroff und zornig, was er hier zu suchen habe, und empfahl ihm, schnellstens zu verschwinden.

»Lord Stanes«, sagte der Gartenzwerg, »wäre Pater Brown sehr verbunden, wenn er ins Haus kommen könnte. Er hätte ihn gern gesprochen.«

Henry Sand wandte sich wütend ab. Der Priester schrieb seinen Zorn der Abneigung zu, die zwischen dem jungen Mann und dem Lord bestand. Bevor sie den Hang hinaufstiegen, blieb Pater Brown einen Augenblick stehen, betrachtete den glatten Baumstamm, sah nach oben zu dem dunkleren, versteckten Schriftzug, der angeblich das Zeichen einer romantischen Liebe war, und musterte dann die größeren, krakeligen Buchstaben der angeblichen Selbstmordbotschaft.

»Erinnern diese Buchstaben Sie an etwas?« fragte er. Und als sein Begleiter nur mürrisch den Kopf schüttelte, fügte er hinzu:

»Mich erinnern sie an die Schrift auf dem Zettel, auf dem Hubert Sand mit der Rache der Streikenden gedroht wurde.«

»Das ist das Rätselhafteste und Ausgefallenste, das mir je vorgekommen ist«, sagte Pater Brown, als er einen Monat später Lord Stanes in der neu eingerichteten Wohnung von Nummer 188 gegenübersaß. Die Wohnung lag am Ende des Blocks und war die letzte, die vor dem Beginn der Lohnstreitigkeiten fertig geworden war. Sie war behaglich eingerichtet, und Lord Stanes bot Grog und Zigarren an, als der Priester mit kummervollem Gesicht dieses Geständnis machte. Der Lord war auf eine kühle, lässige Art erstaunlich liebenswürdig geworden.

»Bei Ihrem Ruf will das schon etwas heißen«, sagte er. »Tatsache ist, daß die Detektive, auch unser reizender Freund mit dem Glasauge, außerstande sind, den Fall zu lösen.«

Pater Brown legte die Zigarre aus der Hand und sagte nachdenklich:

»Es geht nicht um die Lösung des Falles. Es geht darum, daß sie das Problem nicht erkannt haben.«

»Soso«, entgegnete der Lord. »Ja, ich glaube fast, dann habe auch ich das Problem nicht erkannt.«

»Das Problem ist ganz anders gelagert als in allen anderen Fällen«, erklärte Pater Brown. »Und zwar aus folgendem Grund. Es scheint, als habe der Verbrecher absichtlich zwei verschiedene Maßnahmen ergriffen, von denen jede für sich hätte zum Erfolg führen können. Zusammen konnten sie sich nur gegenseitig aufheben. Ich gehe davon aus, daß derselbe Mann den Zettel mit der Morddrohung schrieb und die Selbstmordbotschaft in den Baum ritzte. Nun könnte man es immerhin für möglich halten, daß es sich bei dem Zettel um eine proletarische Verlautbarung gehandelt hat, daß irgendwelche rachsüchtigen Arbeiter ihren Arbeitgeber ermorden wollten und ihn auch ermordet haben. Selbst wenn das der Fall wäre, bleibt ein Rätsel, warum sie – oder sonst jemand – diese merkwürdige Todesnachricht hinterließen. Aber es kann gar nicht der Fall sein. Keiner der Arbeiter – so verbittert sie auch gewesen sein mögen – würde so etwas tun. Ich kenne sie recht gut, und ich kenne auch ihre Anführer. Die Annahme, daß Leute wie Tom Bruce oder Hogan jemanden ermorden sollten, den sie in der Presse angreifen und auf alle mögliche Art und Weise schädigen könnten, ist jene Art von Psychologie, die vernünftige Leute Irrsinn nennen würden. Nein, hier hat jemand – und zwar kein aufgebrachter Arbeiter – erst die Rolle des aufgebrachten Arbeiters und dann die Rolle des selbstmörderischen Arbeitgebers gespielt. Aber weshalb, um alles in der Welt? Wenn er glaubte, die Tat als Selbstmord hinstellen zu können, weshalb verdarb er sich dann selbst das Konzept durch eine öffentliche Morddrohung? Gut, man mag einwenden, die Selbstmordgeschichte sei ihm erst nachträglich eingefallen, weil sie ihm weniger auffällig erschien als die Mordgeschichte. Aber nach der Morddrohung war sie ja gar nicht mehr unauffällig. Er muß gewußt haben, daß wir bereits an Mord dachten, obwohl es doch sein Bestreben hätte sein müssen, diesen Verdacht so weit als möglich zu zerstreuen. Wenn es ein nachträglicher Gedanke war, so war es der nachträgliche Gedanke eines recht gedankenlosen Menschen. Und ich habe das Gefühl, daß es sich bei unserem Täter im Gegenteil um einen sehr folgerichtig denkenden Menschen handelt. Können Sie mit all dem etwas anfangen?«

»Nein«, erwiderte Stanes, »aber ich bin jetzt gern bereit zuzugeben, daß ich das Problem tatsächlich nicht erkannt hatte. Es geht nicht nur darum, wer Sand umgebracht hat, sondern warum jemand erst irgendwelche Leute des Mordes an Sand beschuldigt, und dann Sand beschuldigt, sich selbst umgebracht zu haben.«

Pater Brown hatte die Stirn gerunzelt, seine Lippen waren fest um die Zigarre geschlossen. Das Ende glühte auf und verdunkelte sich rhythmisch, als sende sein Gehirn Lichtsignale aus. Dann sagte er, wie zu sich selbst: »Wir müssen das sehr genau und sehr klar nachvollziehen. Es ist wie das Entwirren von Gedankensträngen. Da die Behauptung, es sei ein Mord, die Behauptung entwertet, es handele sich um einen Selbstmord, hätte der Täter eigentlich gar nicht unsere Gedanken auf einen Mord lenken dürfen. Das hat er aber getan, und deshalb muß er auch einen Grund dafür gehabt haben. Einen so triftigen Grund, daß er sich sogar damit abfand, seine andere Verteidigungslinie zu schwächen, daß es sich nämlich um einen Selbstmord handelte. Mit anderen Worten – die Mordbehauptung war gar keine Mordbehauptung, ich meine, er benutzte sie nicht, um irgend jemandem die Schuld an dem Mord in die Schuhe zu schieben, sondern aus einem anderen, sehr privaten Grund. Sein Plan mußte die Ankündigung enthalten, daß Sand ermordet werden würde, gleichgültig, ob damit jemand in Verdacht geriet oder nicht. Wichtig war die Ankündigung selbst. Aber warum?«

Fünf Minuten rauchte und glühte er weiter wie ein kleiner Vulkan, dann nahm er den Faden wieder auf.

»Was konnte so eine Morddrohung bewirken – abgesehen von dem Hinweis, daß die Streikenden Mörder seien? Was aber hat sie bewirkt? Ganz offensichtlich das Gegenteil von dem, was sie besagte. Sie rief Sand dazu auf, die Arbeiter nicht auszusperren, aber eben zu diesem Schritt hat der Zettel ihn getrieben. Man muß sich den Mann und seinen Ruf vorstellen. Wenn jemand in unseren dummen Sensationsblättchen als starker Mann bezeichnet wird, wenn die feinsten Esel Englands ihn als Sportsmann achten, kann er einfach keinen Rückzieher machen, nur weil man ihm mit einer Waffe droht. Ebensogut könnte er es sich einfallen lassen, mit einer weißen Feder an seinem albernen Zylinder in Ascot herumzulaufen. Damit hätte er das innere Idol oder Ideal zerstört, das jeder Mann, der nicht gerade ein ausgemachter Schuft ist, höher schätzt als sein Leben. Und Sand war kein Schuft, er war ein tapferer Mann und er war impulsiv. Der Zettel wirkte wie ein Zauberspruch. Sein Neffe, der mehr oder weniger mit den Arbeitern gemeinsame Sache gemacht hatte, erklärte sofort, man müsse der Drohung auf jeden Fall und auf der Stelle entgegentreten.«

»Ja«, sagte Lord Stanes. »Das ist mir allerdings auch aufgefallen.« Sie sahen sich einen Augenblick an, dann fügte Stanes wie beiläufig hinzu: »Sie glauben also, in Wirklichkeit wollte der Verbrecher –«

»Die Aussperrung«, erklärte der Priester entschieden. »Den Streik. Oder wie Sie es nennen wollen. Jedenfalls die Einstellung der Arbeit. Er wünschte, daß die Arbeit sofort eingestellt werde, vielleicht den Einsatz der Leiharbeiter, auf jeden Fall den Rückzug der Gewerkschaft. Ja, das war es, worauf er aus war, Gott weiß, warum. Und ich glaube, das hat er geschafft, ohne sich viel um das Vorhandensein einer roten Mörderbande zu kümmern. Aber dann ... dann ist ihm wohl etwas schiefgegangen. Ich rate hier nur. Im Grunde tappe ich noch völlig im dunkeln. Als Erklärung fällt mir dazu nur ein, daß irgend etwas die Aufmerksamkeit auf den Kernpunkt des Problems lenkte, auf die Frage, warum er in

Wirklichkeit so darauf erpicht war, die Arbeiten an dem Neubau einzustellen. Und da wußte er sich in seiner Not nicht anders zu helfen, als daß er jene andere Spur legte, die zum Fluß führte, einfach deshalb, weil sie von dem Neubau wegführte.«

Er betrachtete durch seine mondförmigen Brillengläser die Einrichtung, die von zurückhaltender Vornehmheit war. Die Einrichtung eines Mannes von Welt. Und er dachte daran, wie der Lord mit seinen zwei Koffern die gerade erst fertiggestellte und völlig leere Wohnung bezogen hatte. Dann sagte er ziemlich unvermittelt:

»Kurzum, der Mörder fürchtete etwas oder jemanden in dem Neubau. Warum sind Sie übrigens hier eingezogen? Henry Sand hat mir erzählt, daß Sie sich damals sehr früh mit ihm verabredet hatten. Stimmt das?«

»Ganz und gar nicht«, erwiderte Stanes. »Ich hatte mir am Vorabend den Schlüssel von seinem Onkel geben lassen. Ich habe keine Ahnung, warum Henry an dem Morgen hier war.«

»Hm«, sagte Pater Brown. »Dann kann ich mir schon denken, warum er hergekommen ist. Ich dachte mir gleich, daß Sie ihm einen tüchtigen Schrecken eingejagt haben, als Sie gerade in dem Moment hereinkamen, als er hinaus wollte.«

Stanes' graugrüne Augen glitzerten. »Und doch glauben Sie, daß auch ich ein Geheimnis habe.«

»Ich glaube, daß Sie zwei Geheimnisse haben«, meinte Pater Brown. »Das erste ist, warum Sie sich aus Sands Firma zurückgezogen haben, das zweite, warum Sie inzwischen wieder in einem von Sands Häusern wohnen.«

Stanes zog nachdenklich an seiner Zigarre und klopfte die Asche ab. Dann betätigte er eine vor ihm stehende Glocke.

»Wenn Sie nichts dagegen haben, möchte ich noch zwei Teilnehmer zu unserem Kriegsrat bitten. Jackson, der kleine Detektiv, den Sie kennen, wird dem Klingelzeichen unverzüglich folgen, Henry Sand habe ich gebeten, ein wenig später hereinzukommen.«

Pater Brown erhob sich, ging durchs Zimmer und sah stirnrunzelnd in den Kamin.

»Inzwischen«, fuhr Stanes fort, »will ich gern Ihre beiden Fragen beantworten. Ich habe die Firma verlassen, weil ich überzeugt davon war, daß dort etwas nicht stimmte und jemand Unterschlagungen beging. In den Neubau bin ich eingezogen, weil ich die Wahrheit über den Tod des alten Sand erfahren wollte, und zwar an Ort und Stelle.«

Pater Brown wandte sich um, als der Detektiv eintrat. Er sah auf den Kaminvorleger und wiederholte: »An Ort und Stelle.«

»Jackson wird Ihnen sagen«, erklärte Stanes, »daß Sir Hubert ihm den Auftrag gab festzustellen, wer das Geld unterschlagen hatte, und an dem Tag, an dem der gute Hubert verschwand, überbrachte er ihm seinen Bericht.«

»Ja«, sagte Pater Brown, »und ich weiß jetzt, wohin er verschwand. Ich weiß, wo die Leiche ist.«

»Sie meinen –«, begann sein Gastgeber rasch.

»Sie ist hier«, sagte Pater Brown und trat nachdrücklich auf den Kaminvorleger. »Hier unter diesem kostbaren Perser in diesem behaglichen Zimmer.«

»Wie in aller Welt kommen Sie darauf?«

»Es ist mir gerade eingefallen«, sagte Pater Brown, »daß ich im Schlaf darauf gekommen bin.«

Er schloß die Augen, als versuche er, sich einen Traum in Erinnerung zu rufen, und fuhr versonnen fort:

»Dieser Mordfall dreht sich um die Frage: Wie verstecke ich die Leiche? Ich habe die Antwort im Schlaf gefunden. Jeden Morgen hat mich das Gehämmer vom Neubau aufgeweckt. An jenem Morgen wachte ich halb auf, schlief wieder ein und hatte, als ich erneut aufwachte, das Gefühl, es müsse schon spät sein, was aber nicht stimmte. Warum? Weil an diesem Morgen gehämmert worden war, obwohl die Arbeit bereits ruhte. Es war ein kurzes, hastiges Hämmern, kurz vor Anbruch des Morgengrauens. Ein Schlafender wird automatisch unruhig bei diesem gewohnten Geräusch, aber er schläft wieder ein, weil das gewohnte Geräusch nicht zur gewohnten Stunde kommt. Weshalb nun war unserem Täter an der sofortigen Einstellung der Arbeiten und dem Einsatz neuer Leute auf der Baustelle gelegen? Weil die alten Arbeiter, wären sie am nächsten Morgen gekommen, festgestellt hätten, daß über Nacht der Bau um ein Stück vorangekommen war. Die alten Arbeiter hätten gewußt, wo sie aufgehört hatten, und sie hätten festgestellt, daß der ganze Fußboden in diesem Zimmer bereits befestigt worden war. Befestigt von einem Mann, der sich auf diese Dinge verstand, da er sich häufig unter die Arbeiter gemischt und von ihnen gelernt hatte.«

In diesem Augenblick ging die Tür auf, und ein Kopf auf einem gedrungenen Hals schob sich durch den Spalt. Augen, die durch einen Kneifer blinzelten, spähten herein.

»Henry Sand sagte«, bemerkte Pater Brown, den Blick zur Decke gerichtet, »er verstehe sich nicht darauf, etwas geheimzuhalten. Aber ich glaube, da hat er sich unterschätzt.«

Henry Sand machte kehrt und ging rasch den Gang hinunter.

»Er hat nicht nur jahrelang die von ihm in der Firma begangenen Unterschlagungen recht erfolgreich geheimgehalten«, fuhr der Priester mit abwesender Miene fort, »sondern nachdem sein Onkel ihm auf die Schliche gekommen war, hat er dessen Leiche auf eine ganz neue, originelle Art und Weise weggezaubert.«

In diesem Moment klingelte Stanes wieder, diesmal lange und anhaltend. Der kleine Bursche mit dem Glasauge setzte sich in Bewegung und rannte wie eine aufgezogene Spielzeugfigur hinter Henry Sand her. Pater Brown trat ans Fenster und lehnte sich über die Brüstung des kleinen Balkons. Unten auf der Straße traten fünf oder sechs Mann aus den Büschen und hinter Zäunen hervor und verteilten sich fächerförmig, um den Flüchtenden in Empfang zu nehmen, der wie eine Kugel aus der Haustür geschossen kam. Pater Brown sah nun das Muster der Geschichte, die sich nie aus diesem Zimmer entfernt hatte, in dem Henry seinen Onkel erwürgt und nach Einstellung der Bauarbeiten die Leiche unter den undurchdringlichen Fußboden gezaubert hatte. Ein Nadelstich hatte Pater Browns Verdacht geweckt, hatte ihn erkennen lassen, daß man ihn an der Nase herumgeführt hatte. Ein kleiner, schmerzender

Punkt nur war es gewesen, aber der springende Punkt in diesem Fall.

Er glaubte jetzt auch Stanes zu verstehen, und er hatte viel für Originale übrig, die schwer zu verstehen sind. Er begriff, daß in diesem müden Gentleman, dem er einmal grünes Blut unterstellt hatte, wie eine kalte grüne Flamme Gewissenhaftigkeit und ein stark ausgeprägtes Ehrgefühl brannten. Die hatten ihn erst dazu bewogen, eine zwielichtige Firma zu verlassen, und dann Gewissensbisse in ihm geweckt, weil er die Last des Unternehmens anderen aufgebürdet hatte. Als gelangweilter, aber eifriger Detektiv war er dann zurückgekommen, um sein Lager eben dort aufzuschlagen, wo die Leiche verborgen war. Der Mörder, den angesichts dieser gefährlichen Nähe Angst ergriff, hatte die Geschichte vom Schlafrock und vom Ertrinken inszeniert. All das war jetzt ganz klar. Doch ehe Pater Brown sich von der Nacht und den Sternen wieder ins Zimmer zurückwandte, warf er einen Blick nach oben auf die dunkle Masse des zyklopischen Bauwerks, das in den Nachthimmel ragte, und dachte an Ägypten und Babylon und an alles zugleich Ewige und Vergängliche im Menschenwerk.

»Ich habe recht gehabt mit dem, was ich anfangs sagte«, meinte er. »Es erinnert einen an Coppées Gedicht von dem Pharao und der Pyramide. Dieses Haus ist groß wie hundert Häuser, und doch das ganze Wohngebirge nur eines einzigen Menschen Grab.«

Inhalt

Die drei Werkzeuge des Todes 5
Die Sternschnuppen 21
Der Unsichtbare 38
Der Untergang des Hauses Pendragon 58
Pater Browns Märchenstunde 82
Das Wunder von Moon Crescent 99
Das Lied der fliegenden Fische 130
Der springende Punkt 154

Die Meister-Krimis in der ersten werkgetreuen Neuübersetzung.

Die blaue Hand
Der grüne Bogenschütze
Die vier Gerechten
Der Frosch mit der Maske
Die Tür mit den 7 Schlössern
Das Gasthaus an der Themse
Der schwarze Abt
Der rote Kreis

Der Doppelgänger
Die gebogene Kerze
Der Hexer
Der Rächer
Die seltsame Gräfin
Das Verrätertor
Der Zinker

Scherz   **Krimi**   **Klassiker**

Bestseller dieser Klasse sind kein Zufall

Tom Clancy

Jagd auf Roter Oktober

Roman Scherz

380 Seiten/Leinen

Scherz

Eines der modernsten Raketen-U-Boote ist dabei, zur Gegenseite überzuwechseln...
Die Phantome der See – hochtechnisiert, kaum zu orten, noch weniger zu fassen – liefern sich eine 10'000-Meilen-Jagd in den Tiefen des Atlantik.
Ein Roman so realistisch und spannend wie MAYDAY. Einer der «Helden» ist die Technik unserer Zeit.